PROUDHON

PROUDHON
au delà de Marx:
Ses idées qui ouvrent de nouvelles voies

未来のプルードン
資本主義もマルクス主義も超えて

的場昭弘 Akihiro Matoba

AKISHOBO

資本主義の不平等と権威主義——本書を読む前に

この本は、一九世紀のマルクスとプルードンの思想的闘争を扱っているので、一見すると、とてもマニアックな書物に感じられるかもしれない。しかし、ここできわめて現代的な書物であることをはじめに断っておきたい。

なぜなら本書は、二人の闘争を描くことで、おそらく二一世紀後半に起こるだろう未来社会を描こうとしているからだ。私は、現在の資本主義社会は、このままでは長く続かないだろうと考えている。はっきりいえば、今資本主義的経済システムは、機能不全に陥っている。

炭素エネルギーを使って一気に経済発展を遂げた資本主義システムは、個々人の利己心に依存することで、とめどもないエネルギー浪費システムを創り出してきた。それは、繁栄とともに地球環境を破壊するシステムであった。また競争と利潤獲得が目指すものは、ある一部の人々の繁栄である一方、ほかの人々の犠牲によって成り立つ排他的システムである。このシステムがうまく機能するためには、巨大な企業と国家組織を必要とした。一七世紀西欧に始まる国民国家の官僚システムは、やがて企業組織に移入され、垂直システムの権力組織として形成される。

こうした権力システムは、英独仏そして日本といった帝国主義的システムを生み出し、世界を支配下に置いていく。宗主国であるこれらの国の繁栄は、植民地諸国の犠牲の上に築かれていく。世界自体がこうした権力の構造の上にでき上がっていったのである。

資本主義がもたらした従属的社会に抗議して、一九世紀に立ち上がったのが、社会主義者、共産主義者といわれる人々である。国家システム、教会システムとして完成された官僚機構は、企業に導入されることで、生産性を上げ、利潤をもたらしてきた。しかし、一方でその恩恵に与れない多くの貧しい人々も生み出した。近代の労働者階級である。彼らの苦しみをどう解放するかについて、マルクスとプルードンはそれぞれの視点で果敢に挑んだのである。

マルクスは資本主義によってもたらされる経済的恩恵を問題にすることで、それが本来は労働者から利潤を絞り出すシステムであるという資本主義システムの秘密を見つけた。マルクスは、スミスやリカードといった古典派経済学の手法を使いながら、資本主義システムの秘密、労働者を搾取することでしか発展しえないシステムを見つけ、それが国内において資本と労働との階級闘争を生み出し、海外において植民地を生み出すシステムであることを見出したのだ。

他方、プルードンはそうした経済システムの背後に潜む権威主義は、経済以前に埋め込まれたものであると理解し、権威主義そのものを批判する。その典型は、国民国家以前の教会制度の中にあったと考える。その意味で教会批判、国家批判、資本主義批判は同列である。権威主義、すなわち垂直的システムがある限り、近代社会の問題は消し去ることができないという結論にプルードンは達する。

二人が直面した課題は資本主義のもつ不平等と権威主義をどう乗り越えるかである。解決の道は自ずと違っている。マルクスは、国家権力の収奪によって権力を奪取し、不平等をなくし、結果として社会を変革していく道である。プルードンは、国家権力の奪取よりも国家の解体を最初から企図し、それによって不平等をなくすという道である。とはいえ最終目的は二人ともさして違わない。

前者は、国家権力の奪取によって生まれた社会主義の社会が成熟すると、次第に権力を掌握していた党組織や官僚組織が解体し、アソシアシオン（英語でアソシエーション）へと進むと考えるのである。後者は、党組織という権威主義のないアソアシオンを目指す運動を展開する。

二〇世紀の体験は、前者の道は結局党組織による国家の独占を生み出し、経済的にも、組織的にも行き詰まってしまうという結果をもたらした。それは一七世紀に生まれた近代的官僚社会への批判が十分でなかったことに原因がある。問題は生産力や生産関係ではなく、人間自体の変革の問題である。後者は人間社会の変革、官僚型組織に対する批判からスタートすることで、つねに権力の集中を避け、権力を分散することを目標としていた。

もっともマルクスも若い頃は、プルードンと同じ道を歩んではいたのである。プルードンを批判するあまり、人間分析が不十分になり、機械論的な唯物論の罠にはまってしまったわけなのである。だから、マルクスはプルードンを批判しつつも、未来社会としてつねにアソシアシオンを前提にしていたのである。結局二人の究極の目標は、不平等をもたらす垂直的権力構造の解体にあったのだ。

もちろん目標が崇高であればあるほど、そこに至る道は困難を極める。だからユートピアなのである。しかし、目標を低く設定すると確かに科学的にそこに到達できるのだが、得られる結果は絶望的なものになりかねない。二〇世紀の社会主義の実験は、皮肉にもそのことを暴露してしまったといえる。

今二一世紀前半のわれわれの資本主義は、新たな問題に直面している。巨大組織による効率的、合理的経済運営がもたらした負の力の増大である。それは単に貧困問題というだけにとどまらない。環境破壊、そして人間社会の無価値化である。それは資本主義の発展が皮肉にももたらした現象である。人間中心の世界「人新生《ひとしんせい》」（Anthropocene：オランダの科学者パウル・クルッツェンの言葉。人類が地球の生態や気候に大きな影響を及ぼすようになった近年の地質学的な時代を表す）が資本主義によってもたらされたとすれば、それを止めるには、資本主義的発想の中核にある過剰な利潤追求というものを否定する社会、そしてそれを生み出してきた巨大組織の解体しかないのかもしれない。

昨今見られるフランス、アルゼンチン、チリなどの国々の人々の大衆運動、社会運動は、国家や企業のエゴに対し、厳しい批判を展開している。もちろんこうした運動の広がり自体、資本主義がもたらしたものであるが、それ自体の中から反省が生まれつつあることは、新しい可能性を示唆しているのかもしれない。無駄な豊かさや、早急な発展を求めない社会、そして富や発展が一部の人々、一部の国家や地域に偏らないことを求める社会、それがポスト資本主義社会として今求められていることかもしれない。

約一〇〇年前の一九一九年、第一次大戦が終わって、世界はそれまでの多民族国家を包含した帝国から舵を切り、二〇〇を超える国民国家が成立した。そしてそれは資本主義的世界市場の中にすべて包括され、加速度的に地球の資源を消費してきた。

二〇二〇年は、そうした社会を変える時代の幕開けになる年であろうか。二〇〇八年のリーマンショック以来、世界はグローバルではなく、一国主義的傾向を深めている。ナショナリズムと移民の排斥は、どこの国でも大衆の支持を受けている。しかしそれは各国間の反目をつくりだし、二〇世紀へ帰ったかのような情況である。グローバル化は一時停止といったところだ。しかし、資本主義は世界市場を目指すしかない以上グローバル化が止まることはない。しかし、そのグローバル化が資本主義を衰退させてもいるのだ。地球という資源の限界を突破することはできない。

グローバル化が、国民国家を打ち破り、新しい人間集団の水平的な組織づくりへと進み、一部の人々、一部の地域の人々に偏っていた豊かさを、平等に分かちあえる世界へと進むのか、それは不明だ。ただ理想として強国や優越民族のいない水平的な人間の集まり、プルードンが問題提起したアソシアシオン、相互主義、連合、多元主義を考える希望だけはもちたい。

ただそうした未来を想うとき、一九世紀の思想家たちが議論した問題が参考になることは間違いないだろう。時代的制約の中でユートピア的楽観論が支配的であったとはいえ、それがわれわれの未来を照らす光となることを、忘れてはなるまい。

目次

序論
ライバル、
そして乗り越えるべき反面教師

一　プルードンによって自分の位置を確かめる

片思いのライバル

宿命のライバルという言葉がある。お互いに意識することで、お互いを高めあう関係のことだ。どちらが優位に立つかということよりも、二人のライバルが結果的に高いところまで上りつめることに意味がある。マルクス（一八一八―一八八三）から見て、宿命のライバルとは誰のことだろう。

私は、マルクスを読みはじめた頃から、彼のライバルはプルードンだったのではないかと、考えてきた。しかし、プルードン（一八〇九―一八六五）は、彼より一〇歳近く年上であり、とりわけマルクスをライバルだと思っていた様子はない。マルクスへの言及はわずかな時期に限られるからだ。しかし、マルクスの側ではそうではない。マルクスが社会主義、共産主義に興味をもった頃から、死ぬまで、いや死後もマルクス主義となった彼の後継者たちが、ことあるごとにプルードンに言及した。

ライバルとはお互いに切磋琢磨するものとすれば、プルードンとマルクスがライバルというのは当たらないかもしれないが、少なくともマルクスはずっと相手のことをそう思っていた節がある。場合によっては、乗り越えなくては先に進めない反面教師であったかもしれない。

マルクスの進路を照らしたプルードン

マルクスは、プルードンの書物を読み、それを批判することで、自分の位置を確かめてきた。プルードンの『所有とは何か』（一八四〇）は、マルクスに経済学を学ぶ必要性を生み出した。そこで使われている「所有」という言葉の経済学的意味を知らねばならなかったからだ。「所有」が経済学から無視されてきたという問題は、マルクスの経済学批判の中核をなしている。古典派経済学にとって所有は、当然の前提であり、疑う余地もなかった。資本主義は永遠に続くものと彼らは考えていた。

しかし、プルードンはそれを徹底的に批判した。マルクスはそれに感動し、所有批判を行うことで、所有の変化が歴史の変化だという着想を得る。こうして所有関係は、生産力がつくりだす歴史的関係であるという見地にマルクスは到達し、古典派経済学を批判することで、共産主義社会への歴史的変化への展望をつかむことができた。

やがてプルードンは『貧困の哲学』（一八四六）を執筆し、社会の矛盾は、不安定な経済の不均衡にあり、それを均衡にすればなくなると主張する。所有批判によって共産主義者へと至ったマルクスは、プルードンの所有批判からの転換に怒る。一八四六年に共産主義通信委員会をつくり、プルードンをパリ支部のトップにしようとしていたからだ。プルードンは、マルクスの申し出を丁重に断り、自分は、権威主義的な中央権力志向による社会の変革を信じないと返答する。これまで、マルクスは、「ユダヤ人問題に寄せて」（一八四四年）以降、『経済学・哲学草稿』（一八四四）、『聖家族』（一八四五）に至る間、プルードンを礼賛し続けていたのだが、ここで完全に進むべき方向が反対であることを知る。

『貧困の哲学』を読んだマルクスは、ただちに批判を開始し、一八四七年、ドイツ語ではなくフランス語で『哲学の貧困』という、相手のタイトルを揶揄するかのようなタイトルをつけて自著を出版する。

この書物は、マルクスが自らの思想を彫塑《ちょうそ》した点できわめて重要である。生産力の発展が歴史を決定することで、プルードンが永遠のものだと想定している分業、価値、競争、機械といった経済的カテゴリーは、たんなる歴史的なものにすぎないと批判する。二人の方向はまったく異なることをマルクスは確かめる。

しかし、プルードンの側から見れば、マルクスの批判は必ずしも妥当しない。なぜなら、プルードンの主題は、この世を支配する人間を超える力、つまり宗教、国家権力、絶対的権力を、働くさまざまな人間個人から見ていこうとするものだったからである。

プルードンも確かにこの世界の体制を永遠のものと思っていないし、この世界の体制を永遠のごとく見せている大きな力、たとえば生産力を理解していないわけではない。しかし、こうした動きは人間の介入があって初めて意味をもつ。プルードンが書こうとしたことは、人間の外にある生産力ではなく、人間とともにある生産力であった。

私が最近翻訳した『新訳　哲学の貧困』（作品社、二〇二〇）には、同書に対するプルードンのコメントをすべて訳してあるので、プルードンがマルクスの批判にどう反応したかがわかるはずだ。

マルクスはこの後、『共産党宣言』（一八四八）を書き、共産主義者マルクスがそこで生まれ、『資本論』執筆の道へと進む。一方プルードンは、それまでに展開した反権力、反権威をより進め、アソシアシオン（association）、人民銀行（la banque d'echange du peuple）、交換紙幣（les bons d'echange：利子を取らないで貸与される貨幣）、相互主義（le mutualisme）、連合主義（Le fédéralisme）、持ち株会社（lásociation des ouvriers）、市場社会主義（le socialisme du marche）、均衡の弁証法（le dialectique du équilibre）、多元主義（le pluralisme）、系列論（la loi sérielle）などといった、きわめてユニークな議論を展開していく。マルクスはこうした議論が出てくるたびに、プルードンを批判し、自らの位置を確かめていく。プルードンに対するマルクスの批判は、『資本論』のような著作の中だけでなく、書簡類の中にも多く存在する。なぜ彼はこれほどプルードンを批判しなければならなかったのだろうか。本書の目的はまさにその解明にある。さらに、プルードンの中にマルクスが見過ごした新しい未来の可能性を探ることが、本書のもう一つの目的でもある。

ドイツ人にとってのプルードンの位置

マルクスは一八四三年一〇月、プロイセンを離れ、パリに現れる。アーノルト・ルーゲ[注1]との雑誌『独仏年誌[注2]』をパリで発刊するために、プロイセンから移り住んだのである。彼らの目的は、フランスとドイツの知識人の交流であった。だからこそ雑誌の名前はドイツとフランスの名前を冠している。しかしながら、フランスの知識人の反応はきわめて冷たかった。誰一人として執筆に参加しなかったのである。

その理由は、この雑誌の寄稿者であるドイツ人が、フランス人から二つの点で嫌悪されていたからだ。まず第一はヘーゲル左派[注3]である。経済的進歩や社会主義などではフランスに劣っているドイツは、理論（これがヘーゲル左派である）においてはフランスより優るという傲慢さをもっていた。第二に、フランス人は社会主義者であっても、無神論者ではなかった。

『独仏年誌』の創刊でマルクスはプルードンに声をかけなかった。彼が当時、リヨンのアントワーヌ・ゴーティエ[注4]の誘いを受け、船舶運送の会社の仕事に従事していたこともあるが、パリの知識人グループの外にいたことも、影響した。

結局、パリでのマルクスとルーゲの企画は、フランス側からの執筆者ゼロという結果に至り、この雑誌は結局ドイツ人がフランスで出版した雑誌に終わる。しかも、マルクスとルーゲは、やがて思想的にも対立するようになる。

この雑誌執筆者の多くは、ヘーゲル左派に属する一種の人間主義者、、ヒューマニストであり、マルクスやエンゲルスのような現実社会の問題に切り込んでいく者は少なかった。マルクスは、フランスの社会主義、共産主義の運動と経済学に興味をもっていくなかで、プルードンに接近しようとした。

マルクスは一八四四年の暮れに、プルードンに会う。プルードンが仕事の合い間に何度かパリに滞在していた住居に、マルクスの友人でもあったカール・グリュン[注5]も訪問していた。

プルードンは、無神論という点でドイツのヘーゲル主義者に近い位置にいた。しかも、プルードンはカント、フォイエルバッハ[注6]、ヘーゲルなどに関心をもっていた点で、フランスの社会主義者の中で唯一、ドイツ人が接近可能な人物でもあった。

プルードンは一八四〇年、衝撃的書物『所有とは何か』を出版し、大きな影響力をもちはじめていた。マルクスだけでなく、後に明確に袂《たもと》を分かつカール・グリュンもプルードンという名前を利用しようという意図があった。

ジャーナリズムの幕開け

マルクスの当時の仕事は、ジャーナリズムであった。『ライン新聞』[注7]の編集者を経て、『独仏年誌』の編集者、そして当時パリで出ていたドイツ人のための新聞『フォアヴェルツ』[注8]（一八四五）の編集者となった。グリュンは、ボン大学そしてベルリン大学時代のマルクスの友人であり、なおかつ『マンハイム夕刊新聞』[注9]『トリーア新聞』[注10]の編集者であった。プルードンは、当時は執筆活動と印刷の組版、そして船会社での事務を兼務していたが、後には新聞の編集に加わるジャーナリストでもあった。

一九世紀に生まれたジャーナリズムという職種はどんな仕事だったのであろう。印刷革命による大量印刷が可能になったことで、ジャーナリズムは次第に大きな力をもっていく。とりわけ新聞は、一〇万部近くを一日に印刷できるようになる時代である。新聞に書くということは、一般に社会に影響力をもつということであり、同時に金儲けができるということである。バルザック、ヴィクトル・ユゴー、ウジェーヌ・シュー[注11]などが新聞に小説を連載することで、世間の話題となる。そして収入も莫大なものとなる。こうしてジャーナリズムには海千山千の強者《つわもの》が参入してくる。

一方で反体制的な人々も新聞という媒体を通じて自らの思想を訴えるようになる。彼らの新聞の多くは資金的に大きなものではなく、生まれては一年で消えていく。当時検閲はなかったものの、新聞を発行するにはかなりの額の抵当金が必要であった。[注12]社会主義者などではその額が払えず、毎年新聞の名前を変えながら、抵当金を払わず発行し続けていた。

売れる新聞をつくることと、いい内容の記事を書くことは、ますます一致しなくなった。そこで登場したのがジャーナリズムという概念である。バルザック（一七九九―一八五〇）の『幻滅』の中にある、ジャーナリズムについて語られている部分を引用してみよう。

田舎出の純朴な詩人に対して、都会でしたたかに生きている先輩ジャーナリストが、ジャーナリズムの心得を説く場面だ。

「われわれには命がけのことも、幾晩も勉強して頭をこっぴどくなやませた問題も、思考の世界をあちこちかけめぐったことも、自分の血できずいた記念碑も、みんなこれは出版屋にとっては、儲かると儲からぬの問題にすぎないんだ。書店できみの原稿が売れるか売れぬか、これがやつらの唯一の問題さ。一冊の本は、連中にとって資本を賭けることを意味する。その本がりっぱであればあるほど、売れるチャンスが少ない。すべてを卓越した人間は衆にぬきんでているもの。だから彼の成功はその作品の価値をみとめるのに必要な時間に直接関係する。ところがどの本屋も待とうとしないんだ。今日の本は明日売れなくちゃならん[注13]」

出版文化の商業化のはじまりであった。マルクスはバルザックのファンであったのだが、『幻滅』という作品は読んだのだろうか。もちろん、先の文はバルザック一流の逆説であり、この書物には、真面目に文学にいそしむ集団も紹介されている。手っとり早くやることを推奨しているわけではない。しかし、バルザック自身は、書いて書いて書きまくった人物である。しかしそれでも傑作は多かったのだ。同じくバルザックは『従妹ベット』の中で、真の天才とは何かについて言及している。

そこではこうだ。

「絶え間ない仕事は、生活の法則であると同様、芸術の法則である。なぜなら芸術とは、観念化された創造だからである。それゆえ偉大な芸術家や完全な詩人は、注文や買手がくるのを待ちはしない。彼らはきょう、あすも、つねに、産出していく。そこから、労働の習慣が生まれ、困難にたいするあの不断の認識が生まれる。この認識によって彼らはいつもミューズの女神との、女神の創造力との親密な結びつきを保っていけるのだ[注14]」

とにかく仕事を仕上げることに勤勉でなければならないということ。それはある意味多作の中からしか、珠玉のものは生まれないということだ。マルクスは、自分の作品がバルザックの言う『知られざる傑作』になることをおそれたのだが、バルザックはこの作品の中で、完璧を狙って寡作になるよりも、多作の中で結果として完璧な作品を残すことの意味を描いている。

二　自由な発想のプルードン、理詰めのマルクス

名を売るためにプルードンを批判

マルクス、プルードン、グリュンがいた一八四〇年代のフランスのジャーナリズムは、まさに多作の時代であり、そこで名をなすには、あきらめず書き続けなければならなかった。

マルクスのデビュー作は、何であったろう。マルクスが最初に書いた単著は、プルードンに対する批判、『哲学の貧困』であった。それまでに多くの原稿を書いていたが、本としての出版に至っていなかった。彼がフランスで名を売るためにとった作戦は、当時有名

だったプルードンを批判することであった。

バルザックは、さきほどの『幻滅』で、ジャーナリズムで名をなすには、褒《ほ》めることとけなすことをうまく使い分けることが大事だと述べている。まずは世間で信用を得るために、褒めること、そして次に批判すること。マルクスは、まるでバルザックを地で行くかのように進む。最初はプルードンを褒めあげていたマルクスは、こき下ろすことへと作戦をシフトする。

「おい、ジャーナリストってものは軽業師なんだぜ。職業上のいろんなやりにくいことにも慣れなくちゃならん。見たまえ、このおれなんか従順だよ。こんな場合にはどうやればいいか、ひとつ教えよう。よく聞けよ。まずはじめに、あの作品はりっぱだとほめておく。そのあとできみの考えをおもしろがって勝手に書けばいい。そうすれば、世間では言うだろう、《この批評家はやきもちをやいてない。きっと公平なんだろう》ってね。そこで、世間ではきみの批評は良心的なものとみてくれる[注15]」

マルクスが多用する批判のスタイル

そして批判にもやり方がある。まずは、相手の書物が、いかに間違いだらけであるかを披瀝する。内容以前の問題として、相手は物事をまったく理解していないことを指摘する。

「ええ？　そいつをどんなぐあいにやっつけるか、きみは知らないのか。たとえば『エジプト旅行記』なら、ぼくは本を開いて、ページなんか切らずにあちこち拾い読みして、フランス語の誤りを十一カ所もみつけたよ。で、ぼくは一段分の記事をこういうふうに書く──この本の作者はオベリスクと称せられるエジプトの石ころのうえに刻まれた変てこな言葉を学んだかもしれぬが、彼は自国語をまるで知らぬ。わたしはこれを証明しよう、云々[注16]」

厳しい言い方ではあるが、マルクス自身の批判スタイルも、ある側面この方法を多用している。もちろん、しっかりと勉強したうえでの批判である点、このバルザックの言葉とは違う。しかし、批判の心得は似ている。まずは、いかにその本が理論的に間違っているかをあげつらい、次にその作者がほかの書物からの安易な盗みを行なっていることを指摘するという方法である。

その後のマルクスによる批判法のパターンとなるこのやり方は、相手の議論は、けっしてオリジナルなものではなく、それはすでにあった議論の蒸し返しにすぎないことを、これまで出た書物を徹底的に調査することで証明していくというものである。そのために、その分野の学史的理解を進めること。つまり、膨大な書物を学び、そこから批判の対象者が何を、どこから盗んだかを証明するのだ。

たとえばプルードンの『所有とは何か』は、一八世紀のランゲ[注17]の所有批判の二番煎じにすぎないと、もっていくのである。もちろん、一見同じような議論に見えても、内容はまったく違うことが多い。しかし、その作品がオリジナルではなく、ほかの誰かの引き写しだと見せることで、その作品の信用を落とすことは、相手に対する大きなパンチにはなる。

文献史的批判をあれこれ行うには、その分野に関する膨大な書物を読まねばならない。しかし、これはときとしてマイナスにも働く。ある分野の書物を読むことで、自らの議論がその分野の正統派的方法にますます規定されるようになるからである。内在的に批判することは、逆にいえば自由な発想を抑え、そこから飛び出して新しい学問分野を形成することを妨げてしまう。

あえて『貧困の哲学』をさかさまにして、『哲学の貧困』と揶揄したのは、プルードンのオリジナリティを否定するためであった。プルードンの書物の本題は、『経済学の矛盾の体系――貧困の哲学』であるが、さかさまのタイトルをつけることで、この書物がいわんとしている経済学者の陥っている陥穽《かんせい》は、実は著者の無知をさらけ出すだけで、筆者自身の経済学の知識の貧困を示していて、一方で哲学のほうも無知であるがゆえに、経済学ばかりか哲学においても、半知半解な書物であると見せるのである。

マルクスの『哲学の貧困』の冒頭にはこう書かれている。

「不幸にも、プルードン氏はヨーロッパではとりわけ誤解されている。フランスではドイツのよき哲学者だと見なされているので、当然ながら最悪の経済学者と考えられている。ドイツでは、フランスの最高の経済学者だと見なされているので、当然ながら最悪の哲学者であると考えられている。ドイツ人であり、かつ経済学者であるわれわれは、この二重の間違いに対して抗議をしたいと考えた。この無駄とも思える作品において、ドイツ哲学を批判するため、そしてまた同時に政治経済学の概要を示すために、われわれはプルードン氏の批判をしばしば断念せざるをえなかったことについて、読者諸氏にはご理解いただけるだろう[注18]」

マルクス一流のレトリックである。プルードンは経済学を知らないドイツ人からは一流の経済学者だと思われ、ドイツの哲学を知らないフランス人からは、一流の哲学者と思われているというわけだ。要するに、この誤解を知れば、プルードンの本など読むに値しないということである。

しかし、そうしたくだらない本を批判する『哲学の貧困』も、ある意味、無駄な仕事をしている、ということになるのだが。

ワルラスの批判

経済学でプルードンを批判する書物を書いたのはマルクスだけではない。ローザンヌ学派を形成するレオン・ワルラス(一八三四—一九一〇)は、『経済学と正義』(一八六〇)において、プルードンを批判する。

ワルラスの一般均衡という発想と、プルードンの水平的経済均衡という考え方はよく似ているともいえるが、ワルラスは徹底的に彼の経済学への無知を批判する。その批判はマルクスと同じものであった。「プルードン氏は、形而上学者ではない、哲学者ですらない。その点において、彼はすべての科学的精神や方法を誤解しているといいたい。――彼は力強く、怒りをもって破壊するが、自らが蓄積した遺跡のうえに何も打ち立てない[注19]」

タイプの違う二人の思想家

しかし経済学も哲学もどちらも半知半解であることは、その書物の無知をさらけ出したわけではない。既存の確立した経済学や哲学の分野で、たとえ無知な理解しかしていないとしても、かえってそれがそれぞれの分野で未解決のことを、新しい角度からとらえ、まったく新しい分野を切り開いていることはある。そのことは、ちょうどスポーツで、ある競技からほかの競技が生まれ発展していくことを想像するとわかる。たとえばサッカーがラグビーの起源になったといわれるように。

マルクスは、プルードンの『所有とは何か』に触発されて一八四四年から経済学を学ぶが、そこにどんどんのめりこんでいく。それ以前は、哲学にはまり、どんどん哲学にのめりこんでいった。マルクスは、既存の分野を既存の方法できちんと学び（つまり学生が大学で学ぶように）、その延長線上に何か新しいもの、あるいはそれを乗り越えるものを見つける、いわゆる大学の知識人のような学者的ジャーナリストである。

他方で、プルードンは、きちんとした教育をほとんど受けていない独学者だ。ある分野を学ぶ方法論すら知らない。だから適当に読み、適当に批判する。きわめて素人的ジャーナリストである。なるほどこのやり方であれば、対象に内在せず、思いつきに左右されることは多い。この種のスタイルの人物には、たとえばシャルル・フーリエなどがいる。きわめて自由にものを考える人物といっていい。

プルードンは、当時成立しつつあった新しい貴族階級、すなわち知識人階級の外にいた。貴族の社交界がその出自で決まるように、ブルジョアの社交界が金で決まるように、知識人階級は学歴によって決まる。プルードンは、一九世紀を支配する新しい階級であるブルジョワ階級にも、知識人階級にも属していない、いわば孤独な人物だった。

理論家として孤独なプルードン

孤独なことは、ある意味悲劇的な問題をはらむ。きちんとした教育を受けないことで、勉強の仕方を知らない。なんでもかんでもかじるが、知識が体系的になることはない。マルクスは体系的だが、プルードンは非体系的だといわれるのは、まさにそういう点にある。ジャン＝ジャック・ルソーもプルードンに似ている。職人階級の息子に生まれ、偶然書物を書くようになったルソーも、大学的教育を受けた人間ではない。

マルクスがプルードンを盛んに揶揄し、罵倒していたとき、ロシアのアネンコフ[注20]は、マルクスに対して、プルードンの孤独を考えると、彼の書物の間違い探し以上に、この本がもつべき役割に注目すべきだと、プルードンを擁護している。[注21]

まさにここに二つのタイプの人間がいることになる。一つは大学出身の博士で、学問をきちんと学んだエリート階級、もう一つは大学の門をくぐらず、学問をきちんと学んでいない庶民階級の独学者である。

プルードンは、思想的に本当に孤独であった。その孤独は、彼の生まれと若い頃から労働に従事したこと、そして学歴のなさから来ている。学歴はいまでいえば中卒、しかし奨学金を得るために独学で大学入学検定試験に合格、といったところであろうか。知識は印刷の組版をすることで学んだ（あのフーリエの原稿の活字を拾っている）。

まだ貴族階級が支配をしていた時代。ブルジョワ階級や知識人階級ですら、貴族階級の文化に対して肩身の狭い思いをしていたのに、彼はそれ以外の階級の出身であった。社会主義者、共産主義者でも大学出が多い中、プルードンが彼らと論争するのは、いかに大変なことであったか。上流階級からまっとうに取り扱ってもらえない孤独。若いうちに背負った借金の返済と、生きるための労働。その合い間をぬっての勉強。親の金や妻の金を使いながら読書と執筆にまい進するマルクスと比べると、まったく条件が違う。

労働の現場にいた人間の発言

しかし、この孤独はときに無知を与えるが、ときに才能とオリジナリティーを与える。へたに学校教育を学ばなかったおかげで、プルードンは庶民の知恵から社会を見ることができた。貧しさについて本を読んで知る前に、空腹を満たすための労働で知る。ルソーの

『エミール』のように、体験的学習である。

たとえば、労働者の意識について二人の考え方はまったく違う。労働者の意識は、生産力や分業によって規定されているとマルクスは簡単にいうが、それはあくまで書物の世界、理論の、世界の現実から切り取られた経済学の断片にすぎない。そのマルクスの『哲学の貧困』を使いながら、プルードンはこう述べる。少し長いが引用する。

「労働者はつがいで同じくびきに繋がれた牛のようなものである。川船を引く二四頭、四八頭、六〇頭の馬。これは極端に危険である。事故が起これば、一瞬でグループの半分が動けず、半分は引きずられる。やがてすべてが崩壊し、肉体も財産も消える。印刷所においても、もし植字工が失業すれば、印刷工は休まざるをえない。逆も同じである。相互に従属しているのだ。——かくして巨大な産業においては、歯車として雇用されていて、一人の労働者は基本的な作業に従事し、さらにそれぞれが依存しあい、自らの精神の広がりとともに、品位や自由を失う。機能する瞬間に精神が小さくなる。依存、従属、隷従による精神の悪化。そこに、分業や集合力の次なる直接の効果がある。労働者が活動によって富を生産する限り、彼は自ら貧困をつくりだすのである。——そして実際、それが賃労働の起源である[注22]」

労働の現場からすると、労働者は必ずしも受け身ではない。命を懸けている中で労働者自身の中に意識が生まれ、共同意識が育つが、一方で精神的喪失も生まれる。分業が意識を決定するなどとは簡単にはいえない。まさに労働の現場にいた人物の発言である。

マルクスの先を行くプルードン

プルードン的にいえば、学問としての経済学は現実の生産世界をあまりにも知らなさすぎるということである。価格を安くすれば需要が増えると考えるのは、経済学を学んだ人間である。しかし現実の世界では価格がどんなに安くなろうと、需要が増えない世界が存在する。そこに経済学の矛盾と難しさがある。だからプルードンは経済学だけの論理、哲学だけの論理ではだめだといっているのだ。では何がいいか、現在の確立された学問領域からいえば社会学である。プルードンは社会学の創始者だったのである。社会学者に対して、経済学者ではない、哲学者ではないと批判しても意味がない。プルードンは、マルクスが批判したとき、すでにもっと先に進んでいたともいえる。

マルクス主義の常套句になっている科学的社会主義という言葉も、すでにプルードンは『所有とは何か』の終わりのほうで使っている。しかしプルードンはそれをとことん深めるという方法をとらず、科学的社会主義という概念そのものを一方で批判していくのだ。あえて二人の違いを明確にしていえば、一つの分野で極めていくタイプのマルクス、分野を縦横無尽に飛び、オリジナルな発想を大事にするプルードンがいるというわけだ。マルクスがつねにプルードンを意識していた理由がここでわかる。

マルクスにはこの自由さが欠ける。だからとんでもない思いつきはない。それゆえに科学的だともいえる。しかし、プルードンは、思いつきでどんどん進む。だから科学的ではない。湯水のごとくあふれ出る珍奇な発想、それは一見無学のなせる業でありながら、つかみどころのない独創性をもっている。マルクスは、プルードンを批判しながら、実はこの独創性に注目していたともいえるのだ。

新しいアイデアを次々にくり出すプルードンに、マルクスは内心自分の進むべき道を先取りされたと思った可能性もある。だからこそ、そのアイデアは、どこかからの盗作であると主張することで、気を休めるしかなかったのかもしれない。この自由な発想は、プルードンを最後まで体系の人にしなかった。無学の悲しみかもしれないが、それは逆に新しい世界の創出であったといえなくもない。

マルクス主義が混迷を極める中、マルクス主義に欠けているものを学ぶには、プルードンを学ぶといいかもしれない。体系的ではなく、現実的であることで柔軟であり、自由な発想をもつ。

私はプルードン主義を学ぶことで、マルクスを閉じた体系から、開いた体系にできないかと思っている。本当のマルクスはああだこうだという解釈主義の陥穽に落ちることなく、すなわちマルクスの土俵の位置を決めることにだけ奔走し、現実の動きを見失うような愚を避け、これを乗り越えるためには、現実の世界の変化を理解しながら、体系をずらしていく議論、今まさに欠落しているのはこの部分ではないかと思う。本書はマルクス学者の私が、自らの研究の中から格闘してきた一つの到着点だと考えていただきたい。

注1 アーノルト・ルーゲ（一八〇八―一八八〇）は、ドイツのジャーナリスト。『ドイツ年誌』（一八四一―一八四三）、『ハレ年誌』（一八三八）が発禁になった後、パリでマルクスと『独仏年誌』を発行した。

注2 『独仏年誌』は、マルクスとルーゲがパリで刊行した雑誌。一八四四年に一、二号合併号が出ただけで終わった。

注3 ヘーゲル左派、ヘーゲルの中に革新的運動を見ようとするグループ。

注4 ゴーティエ兄弟。リヨンの船舶運送会社の経営者。

注5 カール・グリュン（一八一七―一八八七）は、マルクスのかつての友人、作品として『フランスとベルギーにおける社会運動』（一八四五）という書物がある。

注6 フォイエルバッハ（一八〇四―一八七二）は、キリスト教を批判し、唯物論を提唱した。代表的な著作に『キリスト教の本質』（一八四一）などがある。

注7 『ライン新聞』は、ケルンで一八四二―一八四三年に刊行されていた新聞。マルクスが編集に参加していた。

注8 『フォアヴェルツ』は、一八四四年パリで刊行されていたドイツ人のためのドイツ語の新聞。一八四五年一月、発禁処分を受ける。

注9 『マンハイム夕刊新聞』は、一八三八年からマンハイムで刊行されていた新聞。

注10 『トリーア新聞』は、マルクスの生まれ故郷トリーアで発行されていた新聞で、カール・グリュンの編集とともに社会主義化する。

注11 ウジェーヌ・シュー（一八〇四―一八五七）は、『パリの秘密』*Les Mystères de Paris*（一八四四）の新聞連載で、大ブームを作ったフランス人作家。

注12 当時フランスでは検閲はなかったが、新聞の発行には数万フランの高額の抵当金を支払う必

要があった。過激な新聞は、支払うことができないため一年で消えていった。
注13　バルザック『幻滅（中）』生島遼一訳、グーテンベルク社21、Kindle,1045.
注14　バルザック『従妹ベット（上）』佐藤朔訳、河出書房、Kindle.No.4892-4899.
注15　バルザック『幻滅（中）』前掲書、Kindle,2771.
注16　前掲書、Kindle,631.
注17　ニコラ・ランゲ（一七三六―一七九四）『市民法理論』大津真作訳、京都大学学術出版会、二〇一三年。
注18　マルクス『新訳　哲学の貧困』的場昭弘訳、作品社、一七ページ。
注19　Walras, Leon, *Economie Politique et la Justice*, pp Paris,1860, p.28-29.
注20　アネンコフ（一八一三―一八八七）は、マルクスと交流のあったロシア人批評家。
注21　前掲書、四三八ページ。
注22　Haubtmann, Pierre,*Pierre-Joseph Proudhon.Sa vie et sa pensée*, Beauchesne, Paris, 1982, p.773.

第１章
プルードンは再起する
——彼がつねに呼び出される理由

一　国家、そして宗教も否定する

つねに敵を求めるマルクス

マルクス主義者は、つねに批判（いや非難）に値する人物を何人かもっている。あまりにも遠い存在についてはそれほど批判はしない。それは当然である。批判の必要もないくらい違いがはっきりしているからである。だから批判しなければならないのは、身近な人物、言い換えればきわめてマルクス主義に思想的に近い人物ということになる。あるときは、右に日和ったといわれるドイツ社会民主党のベルンシュタイン[注1]などの修正主義者、左に旋回しすぎたトロツキー[注2]、ローザ・ルクセンブルク[注3]などは、もともと同じ根をもつ人々である。彼らはつねにある種裏切り者として断罪される。

マルクス本人もこうした批判の相手をもっていた。それは大方自分と思想を同じくした者であり、自分の思想的位置がずれていくことで、相手を批判するしかなくなってくる。

ブルーノ・バウアー[注4]は、若いマルクスにボン大学の非常勤の口を紹介するほどの友人だったが、突然マルクスから批判の矛先を向けられる。その理由は、キリスト教批判から、マルクスが社会主義者、共産主義者へと進んでいったからである。バウアーたちは、頭でっかちで現実と何のかかわりももたない社会主義者「真正社会主義者[注5]」と批判される。義人同盟[注6]といった現実の運動を展開していた、ヴァイトリング[注7]のような無学な職人に対しては、理論をもたない感情的共産主義者だと批判する。

プルードンが懇意にしていたグリュンは、真正社会主義者の最後の人物といってもよい。マルクスとエンゲルスが、自らの党派（共産主義通信同盟[注8]、後に共産主義者同盟[注9]と合体する）をパリに展開する際、彼らの行く手を阻んだのが、このグリュンたちのグループと、ヴァイトリングたちの残党であった。

プルードンを仲間に引き入れようとする

そこでマルクスは、その切り崩し策としてプルードンを仲間に引き入れようと考える。一八四六年、マルクスたちがブリュッセルからプルードンに送った手紙には、彼を仲間に入れようとする努力と、一方パリで根を張るグリュンのグループへの手厳しい批判が書かれている。

しかし、それに対するプルードンの返信では、マルクスたちのグループの独善主義と党派主義が批判されている。自説をつねに正しいとして徒党を組み、それに属さない者は敵だとみなし批判するそうした態度に対して、プルードンはこう述べる。

「しかし、神に誓ってもいいのですが、あらかじめ (a priori) あらゆるドグマを破壊した後で、それに代わって、人民にドクマを与えるようなことは考えないでください。あなたの祖国の人である、マルティン・ルターの矛盾にはまらないでください。ルターは、カトリック神学を転覆した後で、すぐに破門と追放の強化を行い、プロテスタント神学を創設しました。それから三世紀、ドイツが行なったことは、ルターのこの漆喰の壁を壊すことだけでした。新しいモルタルによって、新しい労苦をつくるべきではありません。いろんな意見を白日のもとに晒すという、あなたのご意見には喜んで賛成します。良き、誠実な議論を行いましょう。知的で、周到な寛容さを、世間に例示しましょう。しかし、われわれは運動の先頭にいるがゆえに、新しい不寛容の主人、新しい宗教の使者になってはいけないのです。この新しい宗教とは、論理の宗教、理性の宗教です。あらゆる批判を受け入れ、それを勇気づけましょう。あらゆる排除、神秘をやめさせましょう[注10]」

一定のドグマを押しつけ、徒党をつくることが大嫌いなプルードンは、マルクスたちの動きに釘を差し、批判を受ける開かれた組織なら入ってもいいと述べる。そしてグリュンに関して、マルクスグループが、彼はなまかじりのヘーゲル哲学をプルードンに教えている詐欺師的人物であると批判している点にも、こう厳しく批判する。

「私は率直に、ドイツの社会主義にすでに存在している（そう見えるのですが）小さな分裂を残念に思っております。そしてあなたのグリュン氏に対する非難こそ、私にとってその証明です。私はあなたがこの作家を間違った方向で見ているのではないかと恐れています。親愛なるマルクス氏、あなたのしっかりとした感覚にそのことを訴えます。グリュン氏は、妻と二人の子どもを抱えて一文無しで亡命してきたのです。執筆でしか生きていく手立てがないのです。彼の思想が近代的でないからといって、生きるために彼にどんな仕事ができるというのでしょうか。私はあなたの哲学的な怒りは理解しています。そしてヒューマニティーという聖なる言葉が、商売の道具になってはいけないことにも同意します。しかし私がここでいいたいのは、不幸と極端な窮乏のことです。私はこの人物を許しています。ああ、われわれすべてが金持ちであったら、すべてうまくいくことでしょうが。そしてわれわれは、天使になり、聖人となるでしょう。しかし『生きねば』ならないのです[注11]」

ドイツ人同士の無駄な闘争や、相手方を徹底的につぶそうという言動を批判し、グリュンは貧しさのためにつまらぬ思想を安売りする売文業者であるという批判に対して、彼を擁護する。豊かな生活を送っているマルクスたちから見れば、怒りに打ち震えたであろう言葉である。

才能だけが勝負の世界

こうしてマルクスの党派は、グリュンつぶしに失敗したことで、矛先をプルードンに向け、プルードンつぶしに奔走する。マルクスは、その後も自らの近くの仲間を批判し続けることで、党派的にはますます先細っていく。これは、つねに党派としての自らの立場を優先する思想家の陥る問題であるともいえる。

一方、プルードンは孤独な思想家である。ごく親しい友人は別として、彼はフランスのジャーナリズムの中に入れてもらえない思想家だったともいえる。一九世紀のフランスはまだ貴族的社会が色濃く残っていた。身分があり、出自が重要な役割を果たす。階級間で移動できないというのではない。ミシュレ[注12]のように貧しいながら教授になった者もいる。しかしこれは学歴貴族（フランスの社会学者ブルデューの言葉を使うと）である。

学歴のない者がジャーナリズムの世界でやっていくというのは大変なことだ。学歴という証明書も、人間関係もなく、才能だけが勝負となる。しかしこれは簡単ではない。つねによそ者として批判される覚悟が必要である。さらにそこに貧困が加わる。主なる業はつねにジャーナリズム以外に求めねばならない。よって勉強がおろそかになり、それが無知に見える。プルードンは、あらゆる方面からそうした批判を受け続けてきた。

しかし、この孤独はある意味、純粋なものを追求するにはかえって都合がいい。賢く立ち回る必要がないから、権威ある人物の書物を読み、それを物まねしたり、それに下手に左右されることもない。孤独であることを最初から覚悟すれば、学歴や経歴も関係ない。こわいものは権力だけで、それ以外はただの虚飾の世界である。

プルードンがマルクスに、徒党をつくることはできないといったのは、まさに正直なところであった。彼には徒党ができる仲間も、暇もなかったのである。当時の社交界は、ときとして文学者や学者を招き入れることがあった。ところがプルードンはこうした社交界とはまったく縁がなかったように見える。目に見えないバリアーが、彼に対してはあったのかもしれない。

だから彼は仕事のないとき、勉強と執筆に励んだ。ところが、彼には本を買う余裕もなかった。それは、彼のパリの下宿を訪ねたとき、グリュンがあまりの本のなさに驚いていることからもわかる。かたやマルクスは、パリで高価な経済学書など数百冊を買いそろえ勉強していた。本がないということは体系的な研究ができないということであり、ときとしてすべてが思いつきの延長になりかねない。思いつきをオリジナルであると錯覚することが、貧しい思想家にはつきまとう。マルクスのまわりにいた人々の中では、職人あがりの人々がそうであった。

独創性がつくる現代性

経済的に貧しい思想家は、自らの頭だけで考えねばならない。裕福な人々にとって当たり前のこととなっていることがらを、彼は知ることができない。限られた知識しかないがゆえにすべてがオリジナルのように見える。そうした思いつきの思想家は、当時もたくさんいた。しかし、プルードンの場合、図書館でかなりいろいろな書物を読んでいて、かつその読み方がオリジナルで、それ以外の人々とまったく違うということが、彼の優れた点である。

彼はルソーを意識していたのだが、確かにルソーに近いかもしれない。それも、ルソーの体系的オリジナリティーに対し、置かれた環境から出てくる、社会的不正義に対する一種の怒りが爆発するようなオリジナリティーである。

旧ユーゴスラビアの自主管理[注13]は、プルードンの連邦主義やアソシアシオンに近いものだったといえる。ユーゴ共産党のチトー[注14]が、カルデリ[注15]とともにソ連の中央集権的共産主義に対してとった政策は、皮肉にもマルクスではなく、プルードンに近いものであったといえる（実際に当時、プルードンの名が出ていた）。そうした自主管理運動は、倒産した企業をその従業員である労働者が直接管理する経営にも生かされている。注16 プルードンは、国家、宗教、党といった絶対的権威を否定するため、水平的な組織を考えた。これがアソシアシオン（所有と経営の融合）だが、所有と経営を有機的に結びつけるために、あえて中央制御を行う権力を置かず、相互に連合しあう組織を考えていた。

貨幣に関しても、プルードンの交換紙幣という概念は、労働で価値を測れるかどうかといった価値論の問題ではなく、金などの本位貨幣が不足する中で苦労する中小企業を救うための、人民銀行による信用貨幣という意味をもっている。不況期に銀行が信用貸しを貸し渋ることで起こる貨幣ひっ迫を、労働貨幣（労働時間に応じて発行される紙幣）によって補うという発想は、特定の地域、コミュニティで流通する地域通貨という発想の源泉だ。流通資金を拡大するために、地域では地域の通貨で決済する。それを一つのモデルとして、パリの万国博覧会の会場で実現しようという、ある意味奇妙な発想（後述）は、なるほど資本主義を乗り越えるものでないかもしれない。しかし、資本主義の不幸を一時的に回避するものかもしれない。

プルードンが、マルクスたちの、革命によって資本主義を乗り越えようという企らみを戒めるのは、そうした革命が貧しい者をより貧しくさせてしまう大混乱を招くからだ。だから彼は革命に対して批判的である。彼の目標は、貧しい者を救うこと、しかしそれは資本主義の延命にもなるという点で、根本的解決をもたらさないかもしれない。しかし、一方で根本的な解決のために多くの犠牲者を出したジャコバン主義[注17]のような悲劇は生まれない。急激な解決か、ゆっくりとした解決か、まさにそうしたところにマルクスとの違いがある。

権力批判は新たな権力を生む

アナキズムと通称いわれているものは、国家権力を倒し、国家のない社会をつくり上げることだと考えられている。国家権力の恩恵によって、国防、治安、安定を手に入れたと思う多くの人々は、その意味でアナキズムを恐れる。アナーキーな社会は大混乱の社会ではないかと多くの人は批判するかもしれない。

しかし、そもそもプルードンのアナーキーは、宗教批判から始まる。国家権力以前に宗教権力との戦いが、彼の出発点であった。プルードンにとって宗教とは巨大な権力支配のことである。宗教批判すなわち無神論は、ドイツ人のように神を人間に換えることではない。もし人間に換えることならば、それは人間が神の位置に単に座るだけであり、人間が神のような権力をもつだけである。フォイエルバッハなどの宗教批判は、プルードンにとって無神論ではなく、理神論である。理神論は、神を人間に換えたことで、権力としての宗教は維持しつつ、宗教は廃止しない。

宗教を批判することは、権力そのものを批判することである。けっして新しい権力をつくり出すことではない。その意味で、ドイツ人たちの宗教批判は、新たな権力の構築に走るとプルードンはにらんでいた。それがドイツ人相互の覇権闘争の源であり、案の定マルクスは、プルードンを自らのほうへ導き入れようとした。

単なる権力批判は、権力を変更するにすぎない。本当の権力批判は権力そのもの、あらゆる権力を否定することである。

国家権力と宗教

プルードンにとってマルクスらヘーゲル左派に欠けているものは、神は批判するが、人間の神格化は批判していないという点にあった。ヘーゲル左派の面々のもっとも得意とする宗教批判は、神を否定し、人間化し、宗教を私的領域の事象にしたことが、その成果であったが、ヘーゲル左派の人々は人間にあまり関心をもたない。個々の人間の在り方で情況が変わるということに関心をもたず、神を否定し、人間一般に置き換える。こうしたヘーゲル左派の論理では、個々の人間の存在可能性が消滅する。

先にも述べたように、フランスの社会主義者の多くは、ヘーゲル左派の過激さに辟易した。宗教批判が無宗教へと進むと同時に、宗教が公的領域から私的領域に陥れられ、キリスト教を信じることは、単に個人の私的指向性の問題になったからである。

フランス人の社会主義者、共産主義者の多くは、きわめて敬虔で、キリスト教への信仰を前提にして社会批判を行っていた。そのためヘーゲル左派の主張はあまりに急進的で、とても彼らの雑誌に論文を寄稿するなど考えられないことであった。しかし、プルードンだけはその中でもきわめて異質だったのである。

プルードンが述べる自由という概念は、個々の人間の自由ということであり、それは何ものにも侵されない自由ということである。しかし人間を束ねる組織がなければないほど、そうした自由を実現することは難しい。しかしそうした組織をつくらずに自由を実現できる可能性がないか。神が存在せず、国家権力も存在しない社会、一九世紀においてそれを考えることは途方もない勇気が必要であった。少なくとも勃興しつつある近代国家と官僚制はまだまだ弱く、宗教を否定することができず、ひたすら宗教の力を借りて存在していた。

フランスのガリカニズム[注18]は、カトリック権力と国家との癒着をねらったものである。ローマ法王よりも、国家権力になびくことで、近代国家の形成をカトリック自身が促進していった。プロテスタントも同じで、プロイセンの場合、プロテスタントのトップにプロイセン国王が就くことで、国家権力=宗教という構図ができていた。だからこそ、ヘーゲル左派が国家権力批判の先駆けとして宗教を批判したことは当然のなりゆきであった。

宗教は批判できても、国家権力まで批判するとなると大変である。だからこそ、プロイセン政府はそうした輩への追及を行った。国家権力そのものへの批判は、危機を通り越して、無秩序社会を形成するものであり、けっして許されるものではなかった。

政治権力の交代としての革命と、政治権力そのものを否定する革命。まさに後者こそプルードンの考えであった。ここに路地裏の貧民街から出現したプルードンのもつ意味があったともいえる。多くの知識人が、ある種ルサンチマンにかられ、貧民を救わんとさまざまな社会計画を打ち立てたのが、この一九世紀であったが、多くは人民階級の出身ではなく、上流階級出身の大学出だった。

彼らの革命は貧民階級のためだという大義名分から離れ、自らがブルジョワ階級や、貴族階級から排除されていることに対する憤懣に支配されていた。彼らが意図する政策は、国家権力を自ら譲り受け、それを使って社会改革を行うという発想が大半であった。上からの革命という図式こそそれであるが、上からの革命の最大の欠点は、自らの権力を否定することができないということである。

国家なき社会

では国家なき社会は存在しうるのか。プルードンが生涯を賭けたテーマこそ、これであった。路地裏の改革は、国家権力による介入を寄せ付けない。国家権力は選挙と民主主義という形式を重んじるが、路地裏の革命は、社会運動を第一と置く。政治よりも社会運動が先に来る。前者は、選挙という手順を終えれば、あとは議会や大統領はほぼ次の選挙まで大きな権力を行使できる。次の選挙までは一種の独裁となる可能性がある。だからその間政治は一気に改革を行いうる。こうして一気に改革は進むが、それに人民はついていくことができない。路地裏の革命は、選挙があろうとなかろうと、いつも人民による批判にさらされていることで、独裁へと進まない。

現実に存在するものとしては、直接民主制の国スイスを思い浮かべればいいかもしれない。一つの道路を建設するのに、場合によっては五〇年かかる。時間でいえば非効率そのものだが、そうした過程で人民の政治参加への意識が高まることに意味がある。

国家なき社会をどう実現するか。小さなアソシアシオンを束ねて、ひとつの社会が形成できるのか。まさにここに大きな問題がある。垂直的な構造にし、アソシアシオンをたとえば地方自治として下部に置き、その上に中央指令室を置くとすれば、それは国家権力の再来である。だからそれはできない。そうして出てきたのが、アソシアオン相互を連合する連合構想である。国家権力という一元的な政治形態に対し、多元的な政治形態を置く多元主義だ。

　しかし政治的な問題だけではすまない。経済的な不均衡を是正する問題が出てくる。あるアソシアシオンに富が集中すれば全体が崩壊するからである、そこで相互決済により、富が集中しない制度が必要になる。それが相互主義であり、相互決済を自動的に行うのである。二一世紀のわれわれのことばでいえば、ブロックチェーン・システムとでもいえようか。国家権力の発行するビットコイン・システムはまだ問題は多いが、ブロックチェーン・システムは、国家権力の介在しない世界通貨などに使えそうである。

　プルードンの貨幣（正貨）なき社会、相互主義、連合主義、自主管理などの路地裏的な、下から水平的統合を行う構想を、技術的に可能とする条件が少しずつ広がりつつある。一九世紀には不可能と思われていたものが、二一世紀には可能となるかもしれないという点から見ても、プルードンはもっと読まれるべきかもしれない。

二　自主管理と水平的統治

フランスでのこれまでの読まれ方

プルードンは今でもフランスでは根強い人気がある。マルクスのように派手さはないが、プルードン主義が根を這うように続いている。それは国家の中央権力があまりにも力をもつフランス共和国であるがゆえかもしれない。国家権力が民衆を裏切ると、つねにプルードンが復活する。民衆は権力に向かって猛烈な抗議をするのだ。それはあるときは一九六八年の五月革命、またあるときは二〇一八年に始まった「黄色いチョッキ(Gilets Jaunes)」といった反対運動によって。これらの抗議は確かに議会制民主主義の形をとっていない。「抗議するなら次の選挙で」といった腑抜けの民主主義を受けつけない。外に出て抵抗するのだ。こうした発想に、組織立ったものがあるわけでもない。いつの間にかそうなるのである。

フランスでプルードンが注目されたのは、彼の死後、第一次大戦中のアナルコ・サンジカリズムの頃、そして第二次大戦後、それと一九六八年頃、そして二〇〇九年生誕二〇〇年のときである。いずれの運動も、けっして華々しく成功裡に終わるものではなく、またしばらく忘れられ、そして社会の変化が再び彼を蘇生させ、また読まれるようになるといった断続的なものである。いずれの場合も、彼の発想の当然の帰結として、強力な組織とはならない。草の根的運動として終わる。

彼の死後、多くの友人たちの手で、『著作集[注19]』の刊行が始まる。これはすでに出ていたものに未刊の草稿を合わせた著作集であった。そのとき、全一四巻の『プルードン書簡集[注20]』も出版された。その第二巻には、プルードンがマルクスに書いた手紙が収録された。マルクスのプルードン宛ての手紙の発表は、ずっと後になる。

しかしそれ以上に大きな運動は、普仏戦争におけるフランスの敗北から生じた一八七一年三月のパリ・コミューンである。多くはプルードン主義の人々が、フランス国家の権力に対抗し、パリを解放区として、リヨンなどの都市を巻き込みながら、コミューンという地方政府を国家にしたのである。コミューン議会のメンバーの多くはプルードン主義者であった。

マルクスの二人の娘婿、ポール・ラファルグ[注21]とシャルル・ロンゲ[注22]は、もともとプルードン主義者であったが、このパリ・コミューンを目撃することになる。

当時第一インターナショナルの書記であったマルクスは、プルードン主義者たちの行動に批判的であったが、次第にその影響の前で自ら見解を変えていく。マルクスは当然ながら、この二カ月にわたるコミューンに対して、国家を完全に解体し、新しい権力をつくらなかったこと、そして中央銀行を押さえなかったこと、ブルジョワジーに対してしっかりと対応しなかったことを厳しく批判してはいる。しかし、パリ・コミューンがもつ意義は、たとえそれが失敗したとしても大きなものであることを、しっかりと認めている（『フランスの内乱』）。

都市の奪還

パリ・コミューンは、小さな組織、都市の集合体、地域の集合体であり、アソシアシオンの形態であった。都市の思想家、アンリ・ルフェーヴル[注23]は、パリ・コミューンとは権力的国家、垂直的構造をもつ国家に対する最初の異議申し立てであったと述べている。

ルイ・ナポレオン[注24]のもとでの、オースマン[注25]による都市改造は、それまでにあった都市の構造を根本から変えた。「花のパリ」を演出したのがこの都市改造であったが、主たる目的はパリの美しさではなかった。目的はノートルダム寺院や、ルーヴル宮殿などのまわりにある貧民街を駆逐し、貧しい人々を郊外へ押しやり、町の中心に大きな道路と広場を作り、それまで頻繁に起こっていた抵抗運動に楔《くさび》を打ち込むことだった。道路が狭く、入り組んでいて、貧民街が多いと、不満の爆発はすぐさまバリケード、そして革命へと進むからだ。都市の広場や道路といった空間は、もとはといえば貧民街であった地域が多い。国家権力や都市権力によってブルジョワ(市民)のための憩いの場とされた公園からは、貧しい者が排除された。かつてそれは開放されていたのである。

このことを熟知した中央権力は、二度と路地裏の革命は起こさせないと、徹底的な都市改造を行う。都市の郊外に追いやられた貧しい者たちが、もともと住んでいた空間であるパリの中心に躍り出たものこそパリ・コミューンだった。リーマン恐慌の後起きたオキュパイ・ウォールストリートなどの広場占拠運動[注26]にも、この発想は生かされている。資本主義の行き詰まりによる格差の拡大で若者たちは、かつて路地裏であった広場に集まり、寝起きをするようになったのである。

まさにこの動きこそ、パリ・コミューンの動きであった。現在ではパリに組み入れられている郊外地域からパリの中心へと移動していったコミュナール（パリ・コミューン戦士）は、自らの路地裏を奪還し、そこに反権力の牙城をつくろうとしたのである。まさにこの点において、プルードンのアナーキーな反権力は大きな影響力をもった。

当然ながらマルクスがそのアナーキーさを批判し、革命が成功するには中央権力の確立が必要であったと主張するのは、ある意味正しい。しかしそれは成功という点にのみ絞ればの話である。誇るべき失敗の実験であったと考えればそうともいえない。

レーニンは、マルクスの『フランスの内乱』（一八七二）をよく読み、『国家と革命』（一九一七）を書く。しかしこの際、中央集権的な権力奪取に関心をもったことは、後のロシア革命の悲劇の原因になったともいえる。もっとも、ノートの段階では、ソヴィエトの名の由来であるコミューンを考えていて、コミューンの集合体としてのロシアをつくるつもりもあった。だからこそ、ソビエト（会議）という名前が使われたのである。中央権力ではなく、ソビエトの集合体なのだが、権力奪取後、土地の国有、銀行の国有化、企業の国有化へと進み、コミューンを棄てていった。

アナルコ・サンジカリズムで再評価

第一次世界大戦中、ロシアにおいてマルクスの理論に従ったとされるレーニンによるロシア革命が起こる。一方で、こうした激しい革命運動の反動としてドイツ社会民主党によるロシア革命批判があり、プルードン主義の再興がなされる。

暴力革命を忌避し、暴力によらない革命を模索する人々は、労働組合によるゼネストという方向を選択する。労働組合による全面的ストライキによって政府機能を不能に陥れ、最終的に国家機能を停止し、それによって新たなアナーキーな世界をつくるという方法をアナルコ・サンジカリズムというが、この運動の中で、プルードンが復活する。

ジョルジュ・ソレルの『暴力論』（一九〇八）は、明確にボリシェヴィキ的な中央主権的暴力に対して、罷業という形での抵抗を展開する。ソレルはこういう。
「一九世紀のあらゆる革命的擾乱は、結局は国家の強化に終わったのである。プロレタリア暴力は、それが顕現するあらゆる闘争の外観を変化させる。なんとなればそれはブルジョワジーによって組織された権力を否認し、この権力の中核となっている国家を廃絶するからである[注27]」

ソレルはプルードン主義者ではないが、当時こうした革命闘争が一般化したことで、プルードンの書物が読まれるようになる。

一九二〇年代にプルードンの本格的な全集リヴィエール版[注28]が出版されはじめる。その第一巻がマルクスの批判した『経済的矛盾の体系―貧困の哲学』（一九二三）であった。しかもその中には、プルードンが『哲学の貧困』に書き入れた書き込みがはじめて紹介された[注29]。

これらの全集の編集に携わったのは「プルードンの友[注30]」という組織であり、彼らの論文集も発表される。

しかし、一九二〇年の鉄道ストライキの失敗[注31]以後、アナルコ・サンジカリズムの運動は急速に衰退していく。そしてプルードンも忘れ去られる。

マルクスに代わる社会主義

第二次大戦後、プルードン主義は一九四八年、革命一〇〇年を機に再び息を吹き返す。決定的なことは、チトーのユーゴスラビアがソ連のコミンフォルム[注32]から脱退したこと、一九五六年のスターリン批判[注33]の開始である。マルクス主義への失望が、新たな社会主義を求める動きとして徐々に展開されはじめた。

先進国における新しい運動として、中央集権的マルクス主義から離脱し、下からの民主的社会主義を求める運動が広まる。戦後のマルクス主義の運動の流れの一つとしてヒューマニズム重視と疎外克服という流れがあった。これまでの『資本論』のマルクスからではなく、初期の著作、『ドイツ・イデオロギー』や『経済学・哲学草稿』からマルクスを読むという読み方が、若い世代から生まれてくる。

これまでのプロレタリア階級によるブルジョワの利潤の再配分という発想から、利益を求めない、疎外されない人間像を見出すようになった。資本主義では果たせなかった経済的厚生を、社会主義の平等な分配によって解消しようという発想ではなく、経済的厚生以前に人間らしい労働、人間らしい欲求に視点を移したのである。

ここでは、国家の統制によって利潤の管理と再分配を行うのではなく、労働者自身の所有による、労働者による統制と利潤の再分配という概念が出てくる。そこにあるのは、たんなる利潤の配分ではなく、労働者が積極的に経営に参加し、労働と経営とを分かちもつことで、労働からの疎外を脱却しようということであった。

こうした思想には、国家権力といった上からの、中央からの指令で動く、国家による計画経済から、次第に下からの経済へと変更しようという意図が込められていた。ガルブレイス[注34]が述べたように、社会主義も資本主義も肥大化した官僚システムによる統治という点では酷似してきており、社会主義の人間解放という目的から次第に遠ざかりつつあった。

プルードン主義は、そうした上からの革命に対して、自主管理という新しい可能性を指し示すことができた。これに代替するようなマルクス主義は文化大革命のような毛沢東思想[注35]にあった。若者の多くが六〇年代、ソ連型マルクス主義から、毛沢東思想へとのめり込んでいったのには、そうした理由があった。

一九六八年五月革命[注36]は、学生と労働者による新しい革命という点では、これまでの社会主義革命とまったく違っていた。権力の転覆には成功したが、権力の奪取には失敗する。しかし、もともとこうした運動には、学生が工場に行って労働すること、そこから草の根的な自主管理を求める運動へと進むことが想定されていたのであって、あながち革命の失敗とはいえない。破産した企業を自主管理で再建していくリップ運動のようなものが展開されることで、プルードン型社会主義に新たな光が当たる[注37]。

ベルリンの壁の崩壊とソ連の崩壊

やがて一九八九年から一九九一年にかけて大きな出来事が起こる。ソ連型中央集権的社会主義の崩壊である。これはソ連だけでなく東欧諸国の崩壊でもあった。もちろん自主管理型社会主義を謳っていたユーゴスラビアも崩壊したことで、マルクス主義の中央集権的経済だけでなく、自主管理的経済も崩壊した。

マルクスの権威のみならず、社会主義、共産主義という言葉自体が、ある意味時代遅れなもので、もはや二度と復活はありえないという世論が形成され、ソ連東欧圏、中国圏を含む社会主義といわれた経済圏は、資本主義の経済圏に包括されていく、それがグローバリゼーションといういい方で説明された。グローバルな地球においては、もはや商品だけでなく労働や資本の移動も自由であるという新自由主義が勝利を収める。

そして地球ではすべての国が、一気に経済成長へと加速し、それによって貧困問題は解決するというのである。世界は先進国、中進国、後進国といった国別垂直構造から、すべての国の人々の発展の可能性がある水平的構造が実現するとまでいわれた（いわゆるフラット化する社会である）[注38]。富の平等分配を進める社会主義が、ある意味、力を失うのは当然だ。

労働組合の組織力が減退し、左翼政党が軒並み勢力を失っていく現象は、こうした言説の中で進行する。賃金が上がり続ければ労働組合に参加する意味はなくなる。また左翼政党に票を入れる意味もなくなる。こうして中央集権的国家による経済成長と平等分配を謳ったマルクス主義に大きな陰りが見えてくる。

しかし、実際にはそうした水平的な平等構造は、国家間においても、人民の間でも生じることはなかった。いや資本主義の加速度的な成長によって貧富の格差は拡大していった。なるほど、資本主義は新しい社会主義圏という市場を獲得し、そうした地域に工場を建設し、安い賃金と優れた労働者を獲得し、これまで資本主義化されていなかった最貧国を資本主義の中に組み込んだ。低賃金によって商品を生産し、それを先進国に輸出した。そうすることで、資本をもつ者、すなわち資本家の利潤はどんどん増えていった。非先進国の労働者が先進国の労働者の仕事を奪ったおかげで、先進国では工場がなくなり、その結果クリーンな環境が生まれる一方で、労働者の失業と賃金の下落を招いた。

国家間の貧富の格差ばかりか、国家内での貧富の格差も広まる。後進地域の経済は流れくる先進国の資本によって産業構造が成熟することなく、一気に消費社会を迎える。大きなショッピングセンターが並び、国家が赤字国債を先進国に買ってもらうことで、消費はどんどん華美になっていく。これは一見すると世界の水平化現象であるが、脆弱な経済構造では外国から借り受けた借金を返すことはできず、何年かおきにデフォルトを繰り返す経済となる。そのたびに先進国は、後進国の政治に介入し、都合のいい政権をつくる。そのときの合言葉こそ、「人権と民主主義」である。

こうした圧力に抵抗するために社会主義を復活させたりすると、途端に国連やWTO、IMFから制裁を課され、先進国マスコミから人権違反と独裁国家として告発される。しかしこれはあくまで先進資本主義の主張であり、実情を反映していない。南米の人々は、先進資本主義国への従属からの脱却を望んでいるのである。先進国内の貧困化、後進国における再植民地化、労賃の低位平準化、たびたび繰り返す経済恐慌に対して、人々の不満は再びマルクスとプルードンを呼び戻す。[注39]

プルードンの現代的な読まれ方

七〇年代、八〇年代には、自主管理と水平的統治の始祖としてプルードンは読まれてきた。そのテーマは、市場型社会主義であった。ソ連や東欧においてもこうした市場型社会主義の第三の道として提唱した人々はいた。しかし、硬直した政権の中で彼らの意見が聞き入れられることはなく、たびたびの経済改革も失敗し、最終的には資本主義の猛チャージの前に敗北していく。

市場型社会主義といっても、国家のコントロールの中で市場競争を行うことは簡単ではない。企業が国家から独立し、個別の会計をもち、その利益の状況に応じて国家が支援をするとしても、それが利子や株価といった市場原理に基づいていない以上、恣意的になる。事実上は国家による予算の配分にすぎず、自由な金融システムとはなっていない。結局、非生産的な企業が残存し続け、経済は停滞していく、ソ連や東欧にあっても、市場は存在したのだが、資本市場の自由化は存在しなかったのである。

資本市場を国家から独立させる市場型社会主義は、プルードン的アソシアシオンを想起させる。それぞれの企業は国家から独立し、その所有は労働者であり、その経営も労働者である。資本主義企業との違いは明確である。ただし、この企業が市場の中で競争を強いられる点は同じである。

マルクスは盛んにプルードンを小商品生産的社会主義と非難した。つまりプルードンのアソシアシオンは労働者が工場をもち、そこで経営する小商品生産社会の過去の幻影にすぎないというわけだ。資本主義社会は、大量生産と機械工業、そして市場の独占によってそうした企業を淘汰していく。生産力の増大によって、そうしたものは立ち行かなくなる。

しかし、労働者の経営参加型企業は不可能なのであろうか。プルードンは、ベストセラーともなった書物『株式投機家のマニュアル』(一八五三)の中で、こう述べている。

「労働者のアソシアシオンは生産の要であり、新しい原理、新しいモデルであり、現在の株式会社にとって代わらねばならない。

この株式会社（筆者注・プルードンの構想する株式会社）では、労働者あるいは株主は、だれが搾取しているかがまったくわからない。そこで支配する原理はいわゆる分業、集合力を完成するサービスの相互性である。そこでは事実、産業において、すべての労働者は、彼らに賃金を支払い、彼らの生産物を管理する企業家のために働くのではなく、それぞれの労働者のために働くようになる、そして、彼らは共通の利益を分担する共通の生産物のために協力する。

こうして単位として考えられる労働者アソシアオンに、各グループの労働者を結びつける相互性の原理を広げれば、政治、経済、美学、あらゆる観点からこれまでの文明とまったく異なる文明の形態が作り出されるだろう。それは封建的でもなく、帝国的でもなく、あらゆる自由が保障され、公的なものに忠実で、盗み、詐欺、汚職、寄生、閥族主義、収奪、打歩《うちぶ》（筆者注・投機して不当に利益をあげること）、高価な家賃・食料・交通費、過剰生産、停滞、過剰供給、失業、病気、慈善ではない貧困に対するしっかりとした保証をもつ制度が、至るところで諸君の権利を守るだろう[注40]」

そしてその少し後に書かれた、これまたベストセラーになった『鉄道開発を遂行するにあたっての改革』（一八五五）でも、同じように労働者による経営参加を主張する。「ここで将来のあらゆる人々を含めた原理がある。それは、ブルジョワ階級だけでなく、人民、農民、労働者を資本家として含む原理である」[注41]。

一種の一株株主論[注42]ともいえないことはない。資本主義を前提としながら、株式を労働者階級がもつことで利益が彼らにも還元される。確かにそれでは資本主義からの脱却という点では、不十分かもしれない。しかし、これはアソシアシオンという言葉に代表されているように、利益を得ること以上に経営に参加することに重きがあるという点で重要な論点を含んでいる。

注1　ベルンシュタイン（一八五〇―一九三二）は、ドイツ社会民主党の論客。
注2　トロツキー（一八七九―一九四〇）は、レーニンにつぐソ連の政治家。スターリンによって暗殺される。
注3　ローザ・ルクセンブルク（一八七〇―一九一九）。ドイツ社会民主党の論客で、一九一九年に暗殺された。
注4　ブルーノ・バウアー（一八〇九―一八八二）は、マルクスの友人で、ヘーゲル左派の一員。
注5　真正社会主義者とは、バウアー兄弟を中心とした哲学的組織で、思想によって現実社会を変えようという社会主義。

注6　義人同盟、パリで形成されたドイツ人の同盟。やがてロンドンとチューリヒに分かれ、ロンドンで共産主義者同盟へと変貌する。

注7　ヴァイトリング（一八〇八―一八七二）、義人同盟のチューリッヒの中心人物。共産主義者同盟で指導権を失う。

注8　共産主義通信同盟、マルクスとエンゲルスがブリュッセルで企画した組織で、各地域の共産主義者を書簡という通信によって組織しようというもの。

注9　共産主義者同盟、一八四七年ロンドンで成立した組織で、ドイツ人のみならずヨーロッパ中からの参加者を入れていた。その綱領が『共産党宣言』（一八四八）である。

注10　「プルードンのマルクスへの書簡」『新訳　哲学の貧困』的場昭弘訳、作品社、二〇二〇年、一五二―一五三ページ。

注11　前掲書、一五四―一五五ページ。

注12　ミシュレ（一七九〇―一八七四）、フランスの歴史家。『フランス史』で有名。

注13　ユーゴスラビアの自主管理。国営企業を労働者の自主管理組織で運営しようという試み。

注14　チトー。本名ヨシップ・ブローズ（一八九二―一九八〇）。ユーゴスラビア共和国の大統領。

注15　カルデリ（一九一〇―一九七九）。ユーゴスラビアの自主管理運動の創始者。

注16　フランスのブザンソンの時計工場リップでの自主管理運動。

注17　ジャコバン主義、フランス革命で急進的に革命を進めたマクシミリアン・ロベスピエールを中心とした一派のこと。

注18　ガリカニズム、フランス（ガリア）のカトリック運動。ローマから独立した組織を打ち立てようとする運動。

注19　『著作集』、一八六六年から始まったラクロワ版（一八六六―一八七六）。

注20　ラングロワ＝ラクロワ版『プルードン書簡集』一一八七五年。
注21　ポール・ラファルグ（一八四二―一九一一）、マルクスの次女ラウラと結婚した。
注22　シャルル・ロンゲ（一八三九―一九〇三）、マルクスの長女ジェニーと結婚した。
注23　アンリ・ルフェーヴル（一九〇一―一九九一）、フランスのマルクス主義哲学者。
注24　ルイ・ナポレオン（一八〇八―一八七三）、ナポレオン三世。ナポレオン・ボナパルト（ナポレオン一世）の甥。
注25　オースマン（一八〇九―一八九一）、セーヌ県の知事。
注26　広場占拠運動、二〇一一年に各国の都市で起こった広場を占拠する運動。
注27　ソレル『暴力論』上巻、木下半治訳、岩波文庫、一九三三年、四四―四五ページ。
注28　リヴィエール版全集、一九二三年から始まった『著作集』（一九二三―一九三九）。
注29　プルードンの『哲学の貧困』に書き入れた書き込みCahiers du Cercle,Proudhon.Revue editeé entre 1912 et 1913. *Proudhon et notre temps*,1920.
注30　「プルードンの友」(Société des Amis de Proudhon)。現在も組織は続いている。
注31　一九二〇年二―三月に起きた鉄道と炭鉱のストライキのこと。
注32　ソ連のコミンフォルム、一九四七年に設立されたソ連東欧の国際共産主義組織。
注33　スターリン批判、一九五六年ソ連フルシチョフ首相の下で始まった批判。
注34　ガルブレイス『新しい産業国家』都留重人監訳、河出書房新社、一九六八年。
注35　毛沢東思想、文化大革命につながる。農村と都市とを結ぶ運動。
注36　五月革命、一九六八年五月パリで起きた学生と労働者によるゼネスト。ド・ゴール大統領を辞職へと追い込んだ。
注37　*Actualité de Proudhon. Colloque de Novembre*,1965.

注38　トーマス・フリードマン『フラット化する世界（上、下）』伏見威蕃訳、日本経済新聞社、二〇〇六年。

注39　プルードンの復活は以下の文献でわかる。プルードン生誕二〇〇年での読まれ方は以下参照。*Lyon & Esprit Proudhonien, Actes du Coloque de Lyon 6 et 7 Decémbre* 2002, 2003. Anne-Sophie Chambost, *Proudhon. L'enfant terrible du Socialisme*, 2009.

注40　『株式投機家のマニュアル』*Manuel du Speculateur à Bourse*,Paris, 1857. pp.481-482.

注41　『鉄道開発を遂行するにあたっての改革』*Des Réformes à operer dans léploitation des Chemins de fer*,Paris,1855.p.253.

注42　一株株主論、のちに人民資本主義論という言葉でも語られた、労働者が一株をもつことによって経営に参加する運動。

第2章
プルードンとは何者か
――独創的かつ実践的な思想家

一 「所有」とは盗みである

頑固なブザンソン人の生まれ

プルードンは思想家として孤独であり、ある意味一九世紀フランスにおいて落ち着き場所のない人間であったともいえる。つねに批判的であることで、徒党を組むことができず、組織的な行動ができない。学歴がないこと、出身階級が低いことによって社交的世界に参加できない。孤高という言葉がふさわしい。

しかし、見る人は見ており、組織的ではない個人的な関係は多くあった。彼をめぐる人間模様に注目すると、その広がりに驚く。その点でもやはり彼は、マルクスが執拗に追いかけるべき価値のある人物であったのだ。

読者の中にはそもそも「プルードンとは何者なのか」と思われる方も多いだろう思う。マルクスを知らない者はおそらくほとんどいないであろうが、プルードンという人物のことは、そのマルクスとの関連で知られているぐらいだろう。これから彼の足跡をその著作や人間関係などから追っていこうと思う。

さまざまな顔をもつプルードンをどうとらえるか。二〇〇九年、プルードン生誕二〇〇年に出たアン＝ソフィー・シャンボーの『プルードン——社会主義の恐るべき子供（アンファン・テリーブル）』の序文では、こう書かれている。

「たとえプルードンにマルクスのような大家的な妙技はないとしても、社会、経済、政治の無秩序に対する彼の批判の執拗さが、彼の思想が繰り返し振り返られる事実を説明していることは確かである。それは危機の時代においてとりわけ有効な読書の準拠枠として示されている。二〇世紀のはじめの議会の危機の際、一九四〇年代の政治変化の時代、一九六〇年代末の抵抗するユーフォリアの時代においてプルードンが引き合いに出される。彼の古くささを告発するマルクスから離れてみると、プルードンが未来のために書いた主張は、彼の作品を新たに研究する意味を十分に正当化している[注1]」

パリから数百キロメートル東南に行ったところに、ドゥ県という県がある。プルードンが生まれた土地だ。スイスと国境を接する地域である。ここはフランシュ・コンテといった地域で、今でこそフランスの一部をなしているが、この地域がフランスになったのは、一七世紀末であった。ブザンソン人（Besontin）という言葉があるが、それは頑固を意味する。ブザンソン人には頑固な者が多いということだ。

まさに頑固なフーリエ、ヴィクトル・ユゴーといった人物もこの地の出身である。ただし、プルードンは彼らとは違う庶民階級の子供であった。

プルードンの誕生

プルードンは一八〇九年一月一五日、日曜日夜の六時、ブザンソンの市街プチ・バタン地区で長男として誕生した。それはまだナポレオン治世の時代であった。父の名前はクロード・フランソワ、母の名前はカトリーヌ・シモナン。父は樽職人として、母は料理人として働いた。

貧しい生活だったプルードンにとって、教育を受ける可能性はなかった。それでも両親は彼をブザンソンの中等学校であるコレージュに一八二〇年に入学させた。奨学金を獲得できたからだ。しかし、結局卒業することなく中退し、印刷所の活字工となった。

当時の徒弟修業の慣習に従って遍歴の旅に出、各地の印刷所で働いた。やがてブザンソンに帰った彼は、そこで若い学徒グスターヴ・ファロー[注2]と知り合う。彼はブザンソンの篤志家シュアールの名を冠したシュアール奨学金によってパリで学んでいた。

ブザンソンで破産した印刷所を安く買い取り、それを数人で共同経営していたプルードンは、やがてその会社が倒産し、その共同経営の相棒が亡くなったことで、大きな負債を抱えることになる。そのとき、ファローの貰っていた奨学金を得ることを思いつく。一八三八年、プルードンはその奨学金を獲得し、パリに向かう。

みんなで休日を取る意味とは?

ところが、パリで大学の講義に出たものの、すぐにやめてしまった。以後、多くは独学で習得した。もっとも奨学金だけで暮らせたわけではない。倒産した印刷所の負債を抱え、両親への仕送りなどもあって、印刷工としての仕事を続けていた。一八三九年、三〇歳になるとき、彼は最初の単著『日曜励行論』を書き上げた。休日に休むことの意味を評価した書物である。日曜日に一斉に休むという習慣は、労働が集団的であるのと似ている。労働が集団的であるのは、そのほうが生産性が高いからだ。そして休みも同じくひとりで休むのではなく集団で休むことに大きな意味がある。

日曜日に人々が休むことで、人々が共同体としての意識を高めうる可能性を示唆している。一方でそれは、労働に対する怠惰の奨励にもなっている。やがてマルクスの娘婿のラファルグが書くことになる『怠ける権利』のさきがけとなっている。

すでにこの書物の中に、集団的労働、集合的労働という概念が出ている。ひとりで働くよりも、集団で働くほうが、生産性において高い。ところが賃金は個々別々に働いたものとして計算された額しか与えられない。利潤はその差額から来るという見解である。

所有、それは盗みである！

プルードンが一八四〇年に記した『所有とは何か』にある「所有、それは盗みである」という言葉は、当時のフランスに衝撃を与えた。経済学者が当然のこととして認めている私的所有に対して、それは盗みではないかとショッキングな問いかけを行ったからである。

一八世紀のフランスのランゲが語った所有批判を、労働という新たな視点から批判する。ある仕事場で働く労働者に対する一人ひとりの個人労働への支払いと、その集合である全体がつくり出す生産額との相違を利潤として取り上げ、それは不法であると主張する。なるほどリカード派社会主義者[注3]にその先駆者がいるとしても、論理展開の方法としては革新的であった。

当然、『所有とは何か』は、プルードンの名前を一躍有名にした。所有権を攻撃された有産階級が震え上がったのだ。しかし、彼は奨学金を貰っている身である。この書物の冒頭には、奨学金を出しているブザンソンのアカデミーへの賛辞が掲載されていた。

当時、フランスはカトリック教会の権力が強い国であった。ブザンソンはその中でもカトリックの影響力が強かった。教会にとって所有と家族こそ重要な概念であった。その所有を批判したのだから、ブザンソンでは大きな批判が起こる。彼への奨学金支給の中止が検討された。幸い中止には至らなかったが、教会に対する批判者としてプルードンの名前が刻印された。

実は、『所有とは何か』は更なる騒ぎを引き起こした。ブザンソンのアカデミーだけでなく、パリの「政治・道徳アカデミー」までも批判を開始したのである。さらにあちらこちらから批判の刃が彼に向けられた。そんなとき助け舟を出した人物がいた。当時有名であった経済学者のアドルフ・ブランキである。こうして次の作『ブランキへの手紙』が書かれる。

さらに、フーリエ主義者が書いた『フーリエ主義の擁護』がプルードンを批判したので、それに対して『コンシデランへの手紙』(一八四二)が書かれる。

そしてブザンソンで『所有とは何か』をめぐって訴訟が起こり、それに対してもプルードンは筆をとり、『重罪院における弁明』(一八四二)を出版する。

この四冊の一連の書物の中で、プルードンは政治権力と宗教権力の結びつきを理解し、その後宗教と権力を同じものとして批判していく。

いくつもマルクスの先鞭をつけた

生涯多作であったプルードンは、その後も著作をどんどん出版するが、『人類における秩序の創造と政治組織原理』(一八四三)において、シャルル・フーリエ流の系列論[注4]を展開し、学問の意味を系統立って説明しようとする。

とりわけ権威に対する批判が明確に語られる。権威の時代が終わり、学問の時代が到来し、そこでは権威なくすべてが進むとされる。その中でも経済学が重要な学問であり、経済自体に権威を超える自動調節機能があると展開する。

この書物は、『所有とは何か』以上に体系的書物であった。とりわけ貧困問題を解決するには経済学を学ぶことが重要であるという指摘、とりわけ労働価値説の重要性を語っていたことが、マルクスなどに経済学を学ぶ必要性を示唆した。とくに古典派経済学が前提にしている所有制度は実は普遍的な制度ではなく、歴史的なものであるという指摘は、マルクスの方向を決定づける。

ここでプルードンは、普遍的だと思われているものを歴史的なものと指摘するために、カントやヘーゲルといったドイツ哲学の方法を踏襲した。しかも、宗教批判が展開されていることで、ヘーゲル左派の人々の注意を喚起した。

後にマルクスがそれ以降のすべての議論の未熟さを批判することになるが、史的唯物論、労働価値説、近代国家批判、宗教批判、学問の科学性、どれも粗雑なでき栄えとはいえ、すでにマルクスより先にプルードンが展開していたのである。

画期的な書物『貧困の哲学』

リヨンの船会社にいたプルードンであったが、彼はときどき研究のためにパリに行くことを許されていた。一八四四年二月から彼はパリにいた。パリの住所はセーヌ左岸マザリーヌ通り三六番。マルクスとグリュンが訪ねたのはこのアパートであった。

マルクスもグリュンも、当時のドイツ人の社会主義運動と深く関係していた。それまでパリには義人同盟という組織があったが、その中心はスイスとイギリスに移っており、空白の状態にあった。パリのドイツ人の多くは、家具職人、靴職人、仕立て職人だ。そうした人々を自陣に入れるべく闘争が始まる。

プルードンは、こうしたドイツ人の思惑とは別に、自らの研究と仕事を続けていく。一八四六年に出版された『貧困の哲学』は、画期的な書物であった。経済学を批判することで、貧困問題の解決を図るという意図は、これまで社会主義者、共産主義者によって十分なされたことのなかったものであった。

使用価値と価値、競争と独占などの相矛盾するものの解決の道を、経済自体の調節の中に見出そうとする。マルクスからそれは弁証法ではないと厳しく批判されるが、プルードンにとって、経済にはつねに自動調節メカニズムがあるものだった。それが、彼の思想を自由主義的思想に近づける根拠ともなる。

リカード派社会主義者といわれるメンバーは一〇年以上前に、リカードの経済学の論理を延長することで貧困問題を解決しようとしたが、プルードンは経済学自体に攻撃をかけながら、貧困問題を考えたのである。

その攻撃とは、経済学がこれまで分析してきた方法に対する異議申し立てだ。経済学の前提である需要と供給、競争と独占といった経済的カテゴリーは相互に矛盾していて、その矛盾をどう調整するかという問題を突きつけたのである。国民経済学といわれる古典派経済学へのプルードンのマニフェストは、出来不出来は別として大きな挑戦であった。プルードン流の均衡の弁証法によって矛盾は調整可能となるのだが、経済学の諸概念が根本から検討をされた点においては、まったく画期的な批判であった。

マルクスは経済学批判において先を越されたと感じながら、プルードンの書物の決定的な欠点を探る。一年後の一八四七年に出版された『哲学の貧困』こそ、その成果である。マルクスはプルードンを批判しながら、自らの理論的立脚点を構築していく。経済学の諸概念は、歴史的に規定されているもので普遍的なものではない。人間の意志とは別なところ、生産力の発展によって社会は規定されている。古典派経済学者が資本主義社会を永遠化したところは問題であるが、その分析的視点、とりわけ労働価値説は理論的には間違っておらず、プルードンの古典派経済学に対する批判は皮相的でまったく充分な批判になっていないというものであった。

『貧困の哲学』は、フランスでは反響はなく、あまり売れなかった。それ以上に売れなかったのがマルクスの『哲学の貧困』であった。真正社会主義者のカール・グリュンは『貧困の哲学』をすぐにドイツ語に翻訳した。

二　実践家としてのプルードン

実践的革命家としてのプルードン

マルクスの批判をプルードンは、どう見たのだろうか。プルードンはマルクスの書物を手に取り、丁寧にコメントをしていた。そのコメントは、主として『哲学の貧困』後半の方法の部分に付けられていた。プルードンは、マルクスと違った観点に立っていた。歴史的法則の中にある、人間の意志の作用を見るという新しい科学を提唱していたのである。一方マルクスは、経済学は人間の意志とは別の営みであることを強調することで、経済学を用いて経済学を批判するという方向に進む。

プルードンは経済学を飛び出して、新しい領域、人間を対象とする社会学の領域に進んでいく。しかも、プルードンはとうとうリヨンの会社を辞め、パリでの出版活動だけで生き抜く決意をする。そして、プルードンのパリ生活が始まった。彼は、ジャーナリストとして新聞の編集と、人民銀行の創設による新しい社会形成へと向かった。

プルードンは『社会問題の解決』という書物を一カ月で書き上げ、早速それを実践する。一八四八年革命は、彼にとって需給の不一致の結果起こった経済恐慌、貨幣恐慌、信用恐慌にその原因があった。とりわけ痛手を受けたのは中小企業であった。中小企業に貨幣を融資する銀行を開設するというのが、彼の書物の趣旨だ。革命の後、ルイ・ブランの提唱によって国立作業所（アトリエ・ナショノー）[注5]という組織が設立された。これは失業した労働者ための失対事業所で、労働者に仕事を与えることを目標としていた。

しかし問題は、失業者の対策以上に疲弊した商業、工業の立て直しが必要だったことだ。そのためには欠如している資本を融資するほうが重要であると考えたプルードンは、当時存在していた貯金局、公設質屋などでは不十分で、新しい人民銀行を設立すべきだと説いた。

これは単に机上の空論ではなく、実践するべき理論であった。早速プルードンは組織づくりに奔走する。まずは株式の発行だ。フランスの主要都市で出資者を募った。そして、三万人以上の出資者を集める。これに参加したのは、職人や労働者であった。しかし、一八四九年三月、この人民銀行という組織は思わぬ形で崩壊する。その理由は人民銀行自体の問題ではなく、プルードンが発行していた新聞『人民』が抵当金未払いで裁判にかけられ、その責任をとってプルードンが有罪（後述）になったからであった。

ジャーナリストとしてのプルードン

一八四七年暮れ、プルードンはジュール・ヴィアールが経営していた『人民の代表』[注6]の編集者となる。『人民の代表』は革命の影響もあってよく売れた。日刊四万部を発行したこともあった。

しかしこの新聞も一八四八年の一〇月には発禁処分となる。ところが同月に新しい新聞『人民』[注7]が発行され、編集長となる。この新聞のモットーは「これ以上の税なく、これ以上の高利なく、これ以上の貧困なく、すべてに労働を、すべてに家族を、すべてに所有を」

であった。しかも具体的目的は、ルイ・ナポレオンの大統領当選を阻止することにあった。こうしてナポレオン大統領が当選するやいなや、この新聞は抵当金未払いを訴えられ、プルードンは刑務所行きを命じられる。

一八四九年一〇月、新しい新聞が発刊された。その名は『人民の声』であった。すでに彼は収監されていたため、刑務所の中から記事を書き続ける。しかし半年後の五月、この新聞も発禁処分となる。最後に出たのは、『一八五〇年の人民』だったが、これは一八五〇年六月から一〇月までの短期間で終わる。

議員としても孤立

一八四八年革命の臨時評議会は、四月に普通選挙を実施することを決定する。早速彼はブザンソンの選挙区であるドゥ県から立候補するが落選。しかし、六月四日補選が行われ、そのときパリのあるセーヌ県から立候補し七万七〇〇〇票を獲得し選出された。この選挙区には後の大統領ルイ・ナポレオン、アドルフ・ティエール[注8]がいた。

プルードンは、当選後、財務委員となり、二月革命の原因ともなった社会問題が、その担当であった。破産寸前の人々を救おうと負債の返済の延期、高額所得者への所得税導入を考えていた彼は、一八四八年七月三一日に長い演説を行う。

プルードンの『所有とは何か』にもっとも敵対していた人物、所有のもつ積極的意義について『所有論』（一八四八年）という書物を書いた、後にパリ・コミューンを破壊する政治家となるアドルフ・ティエールが、プルードンの所有批判を、七月二六日の議会で痛烈に攻撃した。

今度はプルードンが議会に登壇し、演説する。笑いと怒号の中、三時間にわたる演説が行われた。この演説の内容については、『革命家の告白』の中で触れられている。彼の演説は、利子の引き下げ、賃金の引き下げ、地代の引き下げの主張であった。同書にはこう書かれている。「私の演説は集中砲火を浴び、まさにさらに多くの効果をもたらした。笑いは長く続かなかった。だれもが先を争って、最も声高に憤激を顕にしようとするのであった」[注9]。

この演説のちょうど一カ月前の六月、パリの東サン＝タントワーヌ地区で労働者の蜂起が起き、それがカヴェニャック将軍[注10]によって鎮圧され、多くの犠牲者を出していた。労働者の要求の高まりに不安を感じていた議員は、この議会でのプルードンの発言を同じ労働者蜂起の流れに位置づけた。それもあって、プルードンは議会で孤立し、多くの議員の恐怖の対象となる。そしてプルードンは、議会誹謗の罪で査問にかけられ、六九三票のうち六九一票で、公共秩序紊乱の罪を着せられてしまう。

八方塞がりの状態のプルードンは、やがて共和国憲法に対しても、反対の立場を取る。一八四八年一一月、憲法草案をめぐる投票の際、三〇人の反対者のひとりとなる。やがて新憲法によって一二月ルイ・ナポレオンが大統領に当選する。そして翌年の四月議会選挙があったが、こうした情況に愛想が尽きたプルードンは立候補を断念する。

その理由は、彼がルイ・ナポレオン大統領に対する批判を行なった廉《かど》で、懲役三年、罰金三〇〇〇フランの刑を受けたからでもあった。彼はブリュッセルに亡命する。しかし、再び戻り、一八四九年六月彼は逮捕され、サント・ペラージュに収監されてしまう。

そこは政治犯の刑務所であり、比較的自由が与えられた。実はプルードンには収監前からつきあいはじめた女性がいた。一八四七年二月六日、プルードンはある女性に一目惚れした。その名はユーフレジー・ピエガールで、彼と同じく労働者階級の娘であった。一八四九年一一月、刑務所収監中にそのピエガール嬢と結婚する。

冴えわたるプルードン

一八四八革命後のプルードンは、その発想において冴えわたる。まずは、中小企業の貨幣不足に対しては、人民銀行論を提起する。それぞれが出資をして人民銀行をつくり、国家紙幣ではない流通手段を発行することで、貨幣不足を補おうというわけだ。

その後、革命時代に書かれる彼の書物『革命家の告白』（一八四九）、『一二月二日のクーデタによって示された社会革命』（一八五二）、『一九世紀の革命の一般的理念』（一八五一）は、権力批判と、新しい社会形成に的が絞られる。繰り返される革命による民衆の悲惨さに鑑み、彼は革命を忌避する。そして新しい改革に乗り出す。このことが、資本主義の見方においてマルクスとの大きな差異となる。とりわけ一八五一年一二月二日のルイ・ナポレオンのクーデタをめぐる議論が、その大きな違いである。

ある意味、プルードンの汚点とされるものに、ルイ・ナポレオンとの関係がある（のちに彼を批判し、投獄されたわけだが）。ルイ・ナポレオンは、自ら貧困に対する書物を書いたりした改革派でもあった。『貧困の消滅』（一八四四）という書物がそれであるが、ルイ・ナポレオンは、ポピュリスト的に人民のための改革を主張して大統領になり、皇帝にまでなった人物である。それを知ってプルードンが彼に手紙を書いて協力を依頼したのは、おかしな話ではない。

プルードンは、ルイ・ナポレオンは民衆を味方につけた新しい時代の資本主義の在り方だと見る。経済成長を全面に押し出し、封建的体質をもった資本主義から近代的資本主義へと変貌を遂げる時代の到来だと読んでいる。

『一二月二日のクーデタによって示された社会革命』は、ルイ・ボナパルト批判であるが、彼が民衆を味方にしたというのを強調している点で、ルイ・ナポレオンのポジティブな面を見ていることも確かである。マルクスは、そのことを批判しているが、二〇年続いたこの体制が、フランスの経済成長を生み出したこともまた確かであった（ルイ・ナポレオンをめぐる両者の違いは第5章で詳しく述べる）。

一八五四年、プルードンはパリ万国博覧会のために展示を企画する。一八五二年、ルイ・ナポレオンへの期待を失った後、ナポレオン一世の弟の息子ジェローム・ボナパルト[注11]に関心をもった。ジェロームは博覧会の代表であった。ジェロームは、プルードンに接近し、模擬展示計画をもちかけてくる。博覧会で使われる産業パレスを、人民の施設として使えるのではないかと、プルードンは「永久展示計画」を提案する。これは、人民銀行のミ二版ともいえるものであった。しかし、この案が採用されることはなかった。

プルードンの味方

プルードンは誰彼と容赦なく批判した。社会主義者や共産主義者では、コンシデラン、ピエール・ルルー、ルイ・ブラン[注12]などであった。彼の味方をした者は少数であったが、その中にオーギュスト・ブランキの兄で経済学者として有名であったアドルフ・ブランキがいる。前述のように、プルードンが『所有とは何か』を書き、センセーションを巻き起こし、教会から訴えられたときに、ブランキは助け舟を出してくれた。『所有とは何か』の次に出版された『アドルフ・ブランキへの手紙』（一八四二）は、その恩義に対する感謝の手紙である。

ロシアのゲルツェンは、一八四八年の彼の演説に対して、社会主義者たちが彼に放った非難に対して『向こう岸から』（一八四八―一八五〇）で、こう述べている。

「プルードンの大胆な演説、辛辣な懐疑、仮借なき否定、そして容赦なき皮肉は、保守主義者に劣らず名うての革命家たちを怒らせた。彼らは無慈悲に襲いかかった。彼らは正統主義者の揺るぎなさをもって、自分たちの伝承を譲るために立ち上がった。彼らは無神論、無政府主義に恐れをなした。国家や民主的統治機構がなくしてどうして自由でありうるのか、彼らにはそれが理解できなかったのだ。――彼らはプルードンを疑わしい人物として告発し、彼を自分たちの正統的団結から追放することによって、各自流に『破門』した」[注13]

ゲルツェンはプルードンにとって、『聖家族』までのマルクスや、カール・グリュンにつぐ外国人のよき理解者だったといえる。実はゲルツェンは、プルードンがパリで始めた新聞『人民の声』に資金を投資していたのだ。

彼は、『過去と思索』の中で、プルードンをこう評価している。

「プルードンの著作は、ヘーゲルの場合と同じく、ある特別な能力を養い、武器を研ぐことを教え、結論ではなく、方法を与えてくれる――ヘーゲルと同じように弁証法の詩人であるが、両者の違いは、一方が学問的運動の平穏な頂点にとどまっているのに対し、他方は民衆の同様の渦中に、党派間の格闘の中に身を投じていることである――プルードンはフランスの思想の新しい段階、そして社会主義における新しい歴史をつくっている」[注14]

もちろんゲルツェンはプルードンのやや怪しげな目的論に対して批判的である。プルードンのように目的を置き、そこに至る過程を追求すること自体が、実は神を前提するのとよく似ている。権威に対する反権威を目的論的に追求すること自体が、新たなる絶対的真理を提起することになり、それが結局新たなる権威をつくることになると批判する。

芸術家の友

プルードンの同郷の出身であり、友人でもあったグスターヴ・クールベは、プルードンの肖像や家族の肖像を描いている。クールベといえば自然主義の先駆者である。労働者や農民の生活の実態を描くという点で、プルードンの思想と相通ずるものがあった。こうして二人は友人関係になる。

フランスの庶民や農民の生活を描くバルビゾン派の画家を評価したプルードンは、彼独自の芸術論を展開する。芸術とは民衆を描くことであると。

プルードンの交友には、それまで埋もれていたオランダ・デルフトの画家フェルメールを発見したテオフィル・トーレ＝ビュルガー[注15]がいる。彼は、プルードンの友人でもあった。ビュルガーは、クールベといった自然主義の流れの中で民衆の画家フェルメールを紹介する。ビュルガーはプルードンと同じく一八四八年革命以後、フランスを追放される。

エミール・ゾラは『プルードンとクールベ』（一八九三）の中で、プルードンの芸術論を厳しく批判する。プルードンの民衆芸術論は、芸術家を圧殺し、自由を押し殺すことになるという。民衆の目的に合っただけの芸術は、芸術の生命を削ぐと述べた。

トルストイ『戦争と平和』への影響

ロシアの文豪、トルストイとは彼の主著となった『戦争と平和』（一八六九）をめぐって関係があった。一八五八年七月、ベルギーのブリュッセルに亡命（二度目の亡命）していたプルードンは、『戦争と平和』（一八六一）という書物を執筆する。トルストイは一八六一年ブリュッセルに行くが、そのときプルードンと会っている。彼とじっくりと議論したようであるが、詳細はわかっていない。しかし、執筆中のナポレオンによるロシア遠征を扱った小説のタイトルにプルードンが書く予定だった『戦争と平和』というタイトルを付ける。

プルードンが書いた『戦争と平和』は、ほかの書物と違って第一部、第二部と分かれた冒頭に内容のレジュメがあり、章自体も非常に短い。

まさに文明や文化をつくり上げた大きな力こそ戦争であるという。戦争がなければ人類はここまで発展することはなかったと述べる。一方平和は、その反対で、戦争というものがなければ積極的な意味をもたないものとされる。その戦争をどう否定するか。

戦争は単なる野蛮な闘争ではなく、聖なるものとして、道徳として出現する。ちょうど文明が宗教によって始まるのと似ている。戦争は理性のカテゴリーでもある。国家や教会、そして所有が理性的な権力であるように、理性的である。だからこそ宗教と戦争は文明につきものである。神は戦士であり、近代国家の侵略の権利は、神聖な権利である。所有を守る国家は、それによって侵略と戦争を正当化する。だから所有権は侵略権でもある。国家が所有を守る以上、つねに国家は戦争的侵略精神、すなわち排除と差別の精神で動いている。だから「国家はつねに戦争状態にある」[注16]。

プルードンは、戦争を礼賛しているのではない。戦争を理性的なものとすることで、戦争と同じ次元で教会、国家、所有について批判しようというわけなのだ。教会、国家、所有はつねに戦争を正当化するからである。トルストイがナポレオン戦争で描きたかったことが、まさにこの無情な世界であったとすれば、プルードンの「戦争と平和」というタイトルは打ってつけであったといえる。

三　徹底して権力を排除する

経済の自動調節機能を信ずる

先に挙げた一八四八年革命以後に書かれた、プルードンの三つの書物について触れていこう。『革命家の告白』『一二月二日のクーデタによって示された社会革命』『一九世紀の革命の一般的理念』である。

『一九世紀の革命の一般的理念』では、一九世紀の革命は、一八世紀までの革命と違って政治革命ではなく、社会革命であると主張する。政治革命は、政治権力の奪取に意味があるが、社会革命は主に経済における改革に意味がある。プルードンが一八四八年革命以後、さかんに人民銀行や経済政策について議論したのは、まさにこの革命が社会革命を必要としたからである。

『革命家の告白』においても論調は同じである。革命が社会革命である以上、それまでの革命がとらわれていた政治権力、宗教権力、所有権力といった権力に対する闘争こそ、革命でなければならない。政治批判から経済批判という流れの中で、権力を破壊したあとの、経済の自動調節機能による安定した社会の実現、そこに彼の意図はあった。

『一二月二日のクーデタによって示された社会革命』は、民衆が政治革命として必死に戦った国民議会が批判の対象となる。議会は普通選挙を拒否し、民衆を批判し、独裁的政治批判を展開するが、ルイ・ナポレオンは逆に民衆に投票権を拡大し、民衆の力を使って議会をせん滅する。それが一八五一年一二月二日のクーデタをつくりだす。ポピュリズムとは何かという問題を明確に解き明かした書物であった。

ベストセラーを連発

三年にわたる刑務所暮らしをまっとうしたプルードンは、一八五二年六月四日に出所する。プルードンはナポレオン体制が経済によって成り立っていることを知っていた。この体制は、政治的には独裁的であったが、鉄道、運河掘削などの公共投資によって経済を成長させ、経済的繁栄によって国民の不満を政治から逸らせ、満足させるというものだった。

そうした中、彼が書いた書物は『株式投機家のマニュアル』と『鉄道開発を遂行するにあたっての改革』であった。ともにベストセラーになる。ナポレオン体制が、好況に浮かれていたためであった。

しかしその内容は、いかに株で儲かるかといった投資家向けのものではなかった。労働者の企業への株主としての参加と、鉄道経営にいかに人民階級が関与するかということが書かれた書物で、まっとうな読者ならばこれが社会改革の強烈な書物だと理解できたはずである。

いずれにしろ、プルードンは思想的な体系づくりではなく、ひたすら現実に実現できそうな社会改革プログラムを矢継ぎ早に展開していった。

プルードンは悪魔である⁉

書物が売れ、博覧会の展示計画がもち上がったからといってプルードンが社会で評価されたわけではなかった。とりわけカトリックの強いフランスにおいて、カトリック権力を批判している以上、この社会で認容されるはずもなかった。

あるとき、伝記シリーズを書いていたミルクール[注17]から、プルードンの伝記を書きたいので、インタビューを行いたいという申し出が来る。実は、この背後にはプルードンの敵視するカトリック教会の協力があり、それは神を批判するプルードンを悪魔として徹底的に批判することを意図した書物であった。彼はそれとも知らずミルクールのインタビューを受け、やがて書物が出版され、それがいかに誹謗中傷に満ちた書物であるかを知る。

その中でプルードンは、神を畏れぬ悪魔、社会を混乱に陥れ秩序を乱すとんでもない人物として描かれていたのだ。幼少の頃の貧困が彼の性格を歪め、もてるものへの憎悪をつくりだし、社会を憎み、社会のあらゆるシステムを破壊しようと企てることになると書かれていた。この伝記に怒ったプルードンは、教会との闘争を本格的に開始する。

三巻にわたる膨大な批判の書

プルードンは、全三巻にわたる膨大な批判の書『革命における正義について――実践哲学の新原理』(一八五八)を書き上げた。プルードンの主著ともいっていい書物である。それはなぜか。プルードンの他の社会主義者と決定的に違う点が、この権力批判にあるからである。この書物で権力、とりわけ一九世紀の支配体系のひとつであったカトリックを批判する。

一八世紀から一九世紀にかけて合理的精神が普及していくが、権力的には依然として神秘的権力が優勢であった。さらに生まれつきの身分、財力といった非合理な支配体系が世界を牛耳っていた。

国家権力の中にも非合理が染みついている。国家はルソーがいうように、社会契約の結果として存在するより以前に、神的権威の殿堂として存在する。その威厳が人々を畏怖させる。この神的権威をつかさどっているのが教会権力だ。キリスト教は、貧しい者を搾取し、豊かな者、権力のある者を保護し、権力の維持に加担している。理性の時代にふさわしくない殿堂こそ教会である。

しかし当時の情況の中、こうした批判が許されるはずもなかった。すぐに訴訟手続きがとられる。この書物は学問的なものか、それとも不敬罪をつくりだす政治的紊乱《びんらん》の書かということが争われる。

もっともこの書物は、六〇〇〇部が売れたといわれる。もちろんすぐに発行差し止めが行われ、裁判の結果プルードンに懲役三年、四〇〇〇フランの罰金が下される。

プルードンはその難を避けるべく一八五八年七月一七日に再びブリュッセルへ亡命する。

体力を消耗したブリュッセル時代

ブリュッセルでの生活（一八五八―一八六二）は長く続いた。最初は家族もいたが、一年後家族がフランスに帰ったことで、一人暮らしが続いた。結果、彼の肉体は消耗していく。

しかし、執筆活動は衰えることはなかった。『戦争と平和』（一八六一）、『イタリアにおける連邦と統一』（一八六二）と物議をかもす書物を次々に出版した。

『戦争と平和』についてはすでに触れたので、『イタリアにおける連邦と統一』について記したい。一八六〇年、フランスとオーストリアの戦争が始まり、イタリアの独立運動へと発展する。その中で、分裂しているイタリアや、ベルギーなどの小国はいかにあるべきかという議論が巷を賑わす。一八六一年プルードンは、ライン川を上りケルンまで旅行する。そして『イタリアにおける連邦と統一』が執筆される。

そこでイタリアのような国は、近代的国民国家として統一されるよりは、連合、連邦国家として存在すべきだと主張する。そして一方でベルギーの場合は、フランスに併合されたほうがいいと主張する。それに対してベルギーでプルードン批判が高まる。つねに議論を挑発してきたプルードンらしい書き方ではあったが、これはある意味プルードンの議論の延長線上にあるものであった。

連邦国家のような小国家のあつまりは、権力を分散できる。近代国家が民族国家として進みつつあったとき、こうした意見を開陳することは危険が高かった。フランス語圏とフランドル語圏に分かれているベルギーにおいて、フランス併合などと叫ぶことは、大変な議論を呼ぶ。ベルギーの民衆には、プルードンはフランスのスパイに見えたはずだ。ベルギーを分断しフランスに併合し、イタリアを連邦国家にしてフランスのライバルを潰す——プルードンの考えはそう取られたとしても仕方のないものであった。

一八六二年一〇月、四年以上に及んだブリュッセルでの生活は終わりを告げ、パリへ戻ることになる。

晩年の作品――権力をいかに回避するか

プルードンに残された時間はわずかだった。ブリュッセルでの生活で疲れた彼の生命力は尽きつつあった。プルードンは、『連合の原理』（一八六三）、死後出版された『労働者階級の政治的能力』（一八六五）で、新しい社会像を積極的に展開する。そこでは関心は、権力をいかに回避するかという問題に絞られている。

『連合の原理』で、彼は自主管理システムについて言及する。そしてアソシアシオンの結びつきとしての政治的連合の原理を展開する。共産主義は、国家権力を支配するだけの権威の体制であることが批判される。

さらに、つくり上げる権威と自由の概念との対立関係が考察される。この二つは相補関係にありながら矛盾している。それをどう解決するか。そこでは権威の体制と自由の体制が問題となり、権威の体制はさらに二つに分けられる。

第一は、一人によるすべての支配で、君主制あるいは家父長制である。二番目は、すべてによるすべての支配で、そこには共産主義あるいは汎国家主義（Panarchie）が挙げられる。二つを特徴づけるのは権力の集中ということである。

それに対して自由の体制にも二つがある。一つは、何人かの代議員がすべての政治を行う制度で、それを民主主義という。もう一つは、すべてのものによる政治で、これをAnarchieあるいは自主管理（Autogestion）という。ここに自主管理という命題が打ち出される。

最後の著作となった『労働者階級の政治的可能性』は、当時フランスで行われた立法議会選挙での選挙拒否を訴える労働者の宣言「六〇人宣言」[注18]に端を発していた。

プルードンはこの中で連合、相互主義という概念を積極的に展開する。既成の国家は中央集権と位階性的秩序原理が支配している。社会主義は、これに対する新たな政治体系の樹立でなければならない。労働者の新しい政治は、労働者がこの体系をそのまま受け取り、それを彼らの利益のために誘導するというものではない。むしろその中央集権的、位階制的秩序を新たな組織に変えることである。

その新たな組織とはなにか。それは連帯的組織に移ることである。中央の権力を排除し、一人ひとりの労働者が対等に発言できる空間をつくることである。それが彼のいう連帯という原理だった。

既成政党が中央集権に堕し、位階制的組織原理で動いているとすれば、社会主義はそれに対抗する新たな原理を打ち立てる必要がある。労働者の政治的能力とは、ブルジョワ体制や絶対王政がつくり上げた中央集権に代わる原理をつくり上げる能力のことである。

しかし、共産主義は、むしろ権威の実現によってブルジョワ体制の延長線上にあるので、労働者の政治的な能力とは無縁である。プルードンは、自由、信用、連帯を中心に据える。国家を垂直的ではなく、連帯的組織に変え、中央の権力を希薄化させることを考える。そこでは一人ひとりが、経済的にも、政治的にも独立した自由人となる。共同体が強いる非個別性を乗り越えるものを、この連帯に求めるのである。

まさにプルードンが現在でもたびたび呼び出される最大の理由は、この新しい民主主義、自主管理、アソシアシオンという考え方のためだ。その意味で一九世紀に出現した自由というテーマが継続発展させられている。自由とその制限は、垂直的統合から水平的統合に移行することで解決されているのである。

もちろん、マルクスも最終的にはこうした地点に至ることを望んではいたが、そこに辿りつく方法が違っていた。権力による資本主義の克服によってそこに至るか、資本主義の中での改革によってそこに至るか——どちらが有効性があるのか、興味が尽きない問題である。

「貧しい者として葬られたい」——プルードンの死

帰国後プルードンはパリのパッシーに住む。しかしそこでの生活は長く続かなかった。一八六五年一月一九日、五六歳の誕生日を迎えた四日後、息を引き取る。死の原因は心臓肥大であった。彼の生活はつねに質素であったが、それは遺言にも表れている。彼は死の床でこう述べたといわれる。

「私は貧しい人々の中に、貧しい者として葬られたい。私の墓の上に何も置かないでくれ、墓石さえもいらない。私の肉体はどんな教会にも引き渡さず、墓へ直接もっていってもらいたい。私の墓がどこにあるかを知らせる文字も書かないでほしい。私の墓を封印してほしい[注19]」

そしてパッシー教区の司祭の前で死の告白を拒否し、妻にこう語る。「私が許しを請うのは君だけだ[注20]」と。

しかし友人は、貧しい彼のために募金を募り、それは妻への生活費として送り、一部は彼の墓のために使われた。彼は「プロレタリアとして生まれ、プロレタリアとして生き、プロレタリアとして死んだ[注21]」。

葬儀は二〇日にパッシーの墓地で行われた（現在の墓はモンパルナスにある）。友人の一人は彼を弔辞でこう評している。

「君の性格は、君の道徳的意志と一対のものであり、君の自由は正義と平等という理性とをもつ自由以外の何ものでもない。君が偉大なのは、君の思想やスタイルではなく、君の性格のもつ比較しようもない偉大さによるのだ。科学と意志とが結晶し、同じものになっているのが君なのだ。君のスタイルは心から出たもの以外の何ものでもない[注22]」

またある者はこう述べている。

「生きている間非常にしばしば攻撃され誤解され続けてきた、この偉大な思想家は、将来は愛されるであろう。このことは確実であろう。なぜなら、彼はその誇るべき無私という点で、自らに対して、我々に対して、友人に対して確信をもっていたからである。彼の思い出として、彼が個人としてもっていた愛をもとう[注23]」

注1　Chambost.Anne-Sophie, *Proudhon.Léfant terrible du socialisme*,Armand Colin,Paris,2009.p.8.
注2　グスターヴ・ファロー（一八〇七―一八三六）は夭折したプルードンの友人。
注3　リカード派社会主義、リカードの労働価値説を使って、資本家による労働者からの収奪を批判する議論である。
注4　フーリエの系列論、人間の情念を使った人間社会の組織論。
注5　アトリエ・ナショノーAtliers Nationaux。ルイ・ブランの提唱によって失業対策として設立された機関。
注6　ジュール・ヴィアールとシャルル・フォヴェティ（一八一三―一八九四）によって創立された新聞。
注7　*Le Peuple*は一八四八年九月から一八四九年六月まで刊行された。
注8　アドルフ・ティエール（一七九七―一八七七）。フランス第三共和政の大統領。
注9　プルードン『革命家の告白』山本光久訳、作品社、二〇〇三年、二二四―二二五ページ。
注10　カヴェニャック将軍（一八一一―一八八二）。この功績によって大統領選に出馬する。
注11　ジェローム・ナポレオン（一八二二―一八九一）。通称、プロン・プロンと呼ばれる。一八五五年、パリ万国博覧会の代表となる。

注12　コンシデラン（一八〇八―一八九三）フーリエ主義者、ピエール・ルルー（一七九七―一八七一）人間的社会主義を主張、ルイ・ブラン（一八一一―一八八二）国家社会主義者。

注13　ゲルツェン『向こう岸から』長縄光男訳、平凡社ライブラリー、二三四ページ。

注14　ゲルツェン『過去と思索』世界文学大系82、金子幸彦訳、筑摩書房、一九六六年、一一二ページ。

注15　テオフィル・トーレ＝ビュルガー（一八〇七―一八六六）、ミレーやクールベの仲間。

注16　Proudhon, *La Guerre et la Paix*, Paris. 1861. P41.

注17　ウジェーヌ・ミルクール（一八一二―一八八〇）は、一〇〇冊の伝記を書いた。Mireocourt, *Proudhon*, Gustav Havard, Paris,. 1855.

注18　「六〇人宣言」とは、一八六三年労働者が選挙を前にまとめた宣言。

注19　拙訳『新訳　哲学の貧困』前掲書、二〇三―二〇四ページ。

注20　前掲書、二〇四ページ。

注21　前掲書、二〇五ページ。

注22　前掲書、二一〇―二一一ページ。

注23　前掲書、二一三ページ。

＊プルードンの伝記でもっとも詳しいものはオプマンの次の書物である。Haubtmann,P., *Pierre-Joseph Proudhon. Sa vie et sa pensée*, Beauchesne, Paris, 1982. Haubtmann, P., *Pierre-Joseph Proudhon*,2tomes, Desclée de Brouwer, Paris, 1988.

第３章
フランス革命の欠陥
――「所有」をめぐるプルードンの画期的論考

一　もたざる者に自由はない

人権宣言の「所有と安全」に注意を向ける

マルクスがプルードンに関心をもったのは、『所有とは何か』という作品の中で展開されている彼の「私的所有批判」が契機だった。その内容はフランス革命への批判に焦点があった。フランス革命によって生まれた「人権宣言」の中で、もっとも重要な要素とされたのは、五つの項目「自由、平等、博愛、所有、安全」である。

これらの概念は、近代社会を形成するもっとも重要な項目といってよい。身分制度の解体は、個々人の政治的平等をつくりだす。政治的平等は自由な表現に表れる。したがって、自由が近代社会にとって重要な要素であることは、疑う余地はない。そして、その自由が政治的平等を保証するためには、経済的な平等が必要である。身分の解体があっても、経済的に不平等が蔓延していたのであれば、実際には政治的平等は実現できない。そして、自由と平等を実現するには、お互いが国民としての自覚、すなわち信頼関係が必要である。身分間の隔たりが、人間の信頼関係の隔たりをつくっていたとすれば、それをなくすしかない。それが博愛である。すべての人々が人間として等しくならねばならないということである。

フランスの貨幣にも刻印されている「自由、平等、博愛」という言葉は、実はその後の二つがないと現実的には実現できない。この二つの言葉は一般には知られていない。それが、所有と安全である。

近代的社会は、独立した個々人が自由に交わる世界、すなわち市民社会を基準として成り立っている。それまであった身分社会は、そうした空間を基本的にもっていなかった。さまざまな身分的階層が、それぞれ独自の社会（コルポラティオン）[注1]を形成し、それぞれの階層間の交流を阻止してきた。すべての人々が自由に交わる社会一般は存在せず、それぞれの身分社会に分かれていたのだ。

ブルジョワ社会の原理

身分社会は、それぞれの閉じた集団の中で名誉、富、血統などといった独自の価値基準をもつ。国民一般すべてを統括する価値基準はない。人間は農民であるか、貴族であるかということが一義的な意味をもち、人間一般であるということは何も意味しない。しかし、市民社会一般が成立するとなると、そこに共通の価値基準が必要になる。その価値基準こそ、近代市民社会をブルジョワ社会たらしめるものである。

近代市民社会の価値基準は、名誉ではなく富である。富こそ、市民社会を決定する大きな基準である。そこでは富を追求することこそ、主要な生きる目的となり、その富、すなわち所有財産の多少によって人間の価値が決まる。市民社会で自由な個人として生きるには、すべからくこの価値基準である所有財産の多寡《たか》が重要な要素となる。自由、平等、博愛は、所有財産がないと意味をなさない。市民が自由に意見をいうためには、所有財産をもっている必要がある。それがないと所有財産をもつ人間に従うしかない。さらに、その財産が不当に奪われることなく、守られる必要がある。それが所有権である。

財産をもつことは、当然ながらそれを誰かに勝手に奪われる可能性があることを意味する。だからこそ、所有権を確定し、所有権に違反するものを摘発することが重要になる。それを行うことが安全の保障である。ここでいわれている安全とは、所有権を奪われないという安全である。

ブルジョワ社会の穴

しかし近代市民社会は、所有を認めたのだが、それをけっして保障はしなかった。没落し無財産となるものは、近代市民社会の構成員にはなれないのだが、そうしたものが出現することを阻止するという発想はなかった。なぜなら、近代市民社会は経済的平等よりも、政治的自由を確保することを重視したからである。所有財産を各自がもつことよりも、所有財産をもつ自由があることが優先されてしまったといえる。ここでの所有は、所有を保障することではなく、所有する可能性が誰にでも開かれていることにすぎない。「人権宣言」で展開されている五つの言葉は、ある一つの枠で説明することが可能である。すなわち所有という概念である。自由とは、結局所有する自由であり、平等とは所有する機会の平等であり、博愛ということは所有するものの博愛であり、安全とは所有する人間の安全であると。プルードンが『所有とは何か』で明らかにした、近代市民社会の秘密とは、自由、平等、博愛、安全、所有の根幹は、所有にあるということであった。

私的なものと公的なもの

身分制社会では所有と身分は一対のものであった。王侯貴族は地主として収入を確保し、それがそのまま身分となり、身分の入れ替わりは原則としてない。身分制の崩壊は、所有することと身分との一致を明確に分けてしまった。近代市民社会は、富をもつことを保証されていない社会である。

マルクスがこよなく愛したフランスの作家バルザックは、『農民』[注2]の中でこの変化の過程を生き生きと描いている。一八世紀に起きたフランス革命は、貴族から土地を奪ったのだが、ナポレオン体制の崩壊以後再び貴族が舞い戻ってきた。しかし、もはや貴族の力は衰えていて、その土地を管理する能力を失っていた。したたかな農民が、貴族の土地を巧妙に奪い取ってしまうのである。もはや歴史をもとに戻すことはできない。歴史は前に進むしかないというのが、『農民』の主題である。

もっともジャン・ボーダン[注3]は一六世紀において、貴族と盗賊を同一に置き、権力を取ったものを貴族、そうでないものを盗賊と呼んでいた。貴族が貴族たりえるのは、権力を掌握し、土地所有と身分の同一化が可能な場合である。それが封建制、そして絶対王政の中で確立した概念であった。

少なくとも封建制の中では私的なものと公的なものは同一であり、貴族の私的な所有物は、公的な所有物でもあった。そこに農民の私的所有は認められていなかったのである。しかし、貴族の土地が一度私的所有として存在しはじめると、それを自分のものにするには、権力によって没収するのではなく、貨幣で購入するしかない。自らのもつ農地を資本主義化して経営できない貴族は、その土地をより収益を上げることのできる人々、すなわち農業資本家に手放すしかない。もはや農民に賦役や年貢をかける権利は国家に奪われているのだ。

まさに国家による租税制度こそ、貴族を国家に従属させる制度といってよい。シュムペーターは租税論の中でそのことを明確にしている。[注4] 国家が貴族や大ブルジョワからきちんと税金を取れない限り、近代国家の成立はない。腐敗国家とは、こうした意味において租税をきちんと取れない国家である。

台頭するブルジョアジーが次第に貴族、司教などがもっていた土地を侵食していく。すでに一八世紀にそのことに多くの人々は気づき始めていた。封建的社会の基礎であった身分制を崩壊させると、近代人の自由が生まれるが、それは裸の自由ではなく、ある種の制限された自由、所有によって制限される自由ということである。

近代市民社会は、ヘーゲルがいうように人々のむき出しの欲求の体系となる。金があるかないか、財産があるかないか。まさにそれが市民の価値を決定する重要な要素となる。

一八世紀に現れたモルリやランゲなどの書物[注5]は、すでにプルードンよりも早く所有のもつ問題を提起していた。所有権が次第に近代社会の重要な要素になってくるということを知りはじめたのである。

二　「所有」批判の衝撃

フランス革命をどう考えるか

プルードンに出会う前、マルクスはフランス革命を研究していた。それは『ライン新聞』を辞め、結婚するためにドイツ西部のクロイツナハに移り住んだときのことである。[注6] マルクスが研究したのは、フランス革命の歴史とその後の移り変わりであった。

いまだ経済学の研究には関心をもっていなかったマルクスは（経済学研究は、プルードンの『所有とは何か』からの衝撃以後、一八四四年四月から始まる）、フランス革命がどのように変化していったかに関心をもった。

フランス革命は、一つの象徴的事件であるが、けっしてその解釈は定まったものではなく、政権の変動とともにどんどん変化していった。フランス革命の象徴といわれる三色旗や、フランス国歌「マルセイエーズ」なども、政権の変遷によってあるときは消滅したり、復活したりしていた。今われわれが知っているフランス革命に対する「ブルジョワ革命史観」が定着するのは、第三共和政の時代である（七月一四日が革命記念日、共和国記念日になったのは一八八〇年。三色旗は一八三〇年に復活し、マルセイエーズが国歌となるのは一八七九年である[注7]）。

最初の変化は、一八一四年ナポレオンの敗退によるブルボン王朝の復活、すなわちルイ一八世の時代である。貴族や僧侶が舞い戻り、王朝主義者が復活し、こうしてフランス革命は、巨悪の根源であるという解釈が生まれる。とりわけ憎悪の対象となったのは、一七九二年から一七九四年までのロベスピエールの時代、恐怖時代といわれる時代である。彼らによるルイ一六世とマリー・アントワネットの処刑の是非は厳しく問われた。それ以後においても、ナポレオンの評価をめぐって、独裁者というイメージがつくられていく。とりわけ保守派のボナールとメストルは、ロベスピエールの名前を抹消し、ルイ一六世のヴァレンヌ逃亡事件も歴史から葬り去っていく[注8]。

しかし、ルイ一八世の後を受けたシャルル一〇世の時代、一八三〇年に七月革命が起こる。七月革命はフランス革命を復活させる大きな契機となる。自由主義者やブルジョワジーに擁立されて政権を握ったルイ・フィリップも当初、革命という観念にきわめて鷹揚であった。

この時代にフランス革命の体験記や、フランス革命の詳細なドキュメントが編集される。とりわけビュシェによる『フランス革命議会史』と、革命を体験した人物ルヴァスールのメモワールは、マルクスが注目した書物であった。[注9]リヨン蜂起[注10]以後、ルイ・フィリップは次第に革命の復活を恐れるあまり、フランス革命への言及を減らそうとする。しかし、マルクスとプルードンがフランス革命にまつわる書物を読んだのは、まさにこうしたルイ・フィリップによるフランス革命の復活期であったことは重要である。

ブルジョワ革命説の成立

一八三〇年以降青春を迎えた人々にとって、フランス革命は非常に大きな意味をもつ。

一八三〇年七月革命以後、それまでヨーロッパを覆っていた復古主義の闇が崩壊し、ヨーロッパ全土に新しい革命の動きが芽生えてくる。最初の労働者による蜂起といわれている二回にわたるリヨン蜂起は、リヨンの織布工の集まるクロワ・ルスの丘から起こった労働者たちの異議申し立てである。リヨンの警察では手に負えず、フランス全土から軍の支援が要請された。一八四四年に起こるシレジアの織布工の蜂起[注11]の先駆けともなるこの運動は、一九世紀が、もはや絶対王政による身分制の社会ではなく、経済的な格差を中核とした階級格差の時代であることを明確にした。

その後たびたびフランスで起こる労働者の蜂起は、各地に社会運動の秘密結社の成立を促し、ルイ・フィリップがもっていた政権のイメージ、ジュスト・ミリュ（中庸[注12]）という概念を打破していく。中庸とは、復古体制とブルジョワ体制の妥協であり、滅びゆく貴族制と勃興するブルジョワ体制との妥協であった。

こうした妥協が、フランス革命に対する理解を次のようにつくり変えていく。それは後々フランス全体を覆う革命をめぐる議論の争点となるものであった。フランス革命は二つの時期に分かれるというのである。一七八九年のフランス革命は、一七九二年で終わるという解釈がそれで、それ以降のロベスピエールなどジャコバン派の政治は独裁であり、反動的な政権であるとする。当然ながら、一七九四年のテルミドールの反動によってロベスピエールが処刑され、その後の執権制度から生まれたナポレオンの独裁も、結果的にロベスピエールの影を負っていたと解釈する。

この理解によれば、革命の意義は一七九二年前まででよく、それ以降は無駄なものとなる。この革命は、自由を求める人々の運動が主であり、政治的権力を民衆が獲得するとともに、ブルボン王朝、貴族、僧侶階級も、そうした民衆の意志に従うことで、それなりの権利を与えられ、名望家支配を約束されるというものであった。「人権宣言」と第一次憲法による体制は、ルイ・フィリップによる摂政体制にうまく適合するものであった。

著しい民衆の権利の実現を忌避するこうした解釈は、当時の支配的貴族のサロンでも、ブルジョワのサロンでも何とか受け入れられるものであった。だからこそ中庸という言葉がそこに当てはめられたのである。

しかし、一八三〇年七月革命による民衆の息吹は、そうした解釈を通り越してブルジョワ革命と、その後の新たな革命を生み出す力としてロベスピエールの政権を見直す解釈を生み出す。フランス革命に自由のみならず平等を読み込もうとする解釈は、自ずとロベスピエールを受け継ぐ次なる革命、永久革命論を引き出す。ブルジョワ体制の実現だけでなく、その後に続く次なる革命が必要だったという説である。

一七八九年の革命では、自由は実現したが、平等は達成されず、人々はブルジョワ体制による悲惨な経済生活を強いられた。こうした体制に立ち向かった人物こそロベスピエールだという解釈である。

アレクシス・ド・トックヴィル、バンジャマン・コンスタン、ヴィクトル・ユゴーなどは、フランス革命を一七九二年以前で区切るのだが、社会主義者、共産主義者といわれる人びとは、革命を一七九二年以降の継続に求めるようになる。この対立は、フランスでは現在に至るまで大きな争点として残っている。[注13]

一八三〇年以降のフランス革命研究は、次第にロベスピエール寄りの研究が主流となっていく。ルヴァスールは、亡くなる直前に、フランス革命の体験記を書く。この書物は、次第に革命に参加した人々による歴史の書き変えが次第に起こる中で、本当の歴史はどうであったかをメモワールとして残そうとしたものである。ロベスピエールの革命の意味、民衆の平等を求める動きを生々しく描いた。マルクスがこれに飛びついたのは、けだし当然であったともいえる。

またビュシェによるフランス革命の議会記録も、革命の流れをロベスピエールに置き、フランス革命の意味を市民革命とその真の実現に置こうとした。マルクスは、コンスタンやトックヴィルも読むのだが、むしろルヴァスールやビュシェの考えに強い影響を受ける。

中庸と見えたルイ・フィリップ政権は、フランス革命の復活をもち出す過激な意見に激高し、一八三三年に釘を差した。まずは「人権宣言」の中から自由、博愛だけを残し、平等を抹消した。そして、ドラクロワの革命画「七月革命」[注14]のルーブル美術館での展示を止めさせ、お蔵入りにし、そして一八三四年パリでのバリケード騒ぎの中、結社禁止の法令を復活させた。こうした反動的政治に対して、ルヴァスールやビュシェの書物が書き起こされたのである。

サロン文化と人間関係

フランスの学問文化の多くは、サロンによって形成されてきた。パリの貴族のサロンは、そうした教養と思想形成の場であった。有名な作家は皆そうしたサロンに呼ばれた。こうした場は、自ずとさまざまな影響力をもち、当然ジャーナリズムや出版界も例外ではなかった。

マルクスもベルリンではゲーテの友人で、詩人ブレンターノの妻、ベッティナ・フォン・アルニム夫人[注15]のサロンに出入りし、アルニム夫人と親しくなった。将来を嘱望されるインテリや文化人は、こうしたサロンにおける会話に参加することで、社会の風潮をつかみ、大学や知識人の思想が、サロンで形成されていることを知る。マルクスの父ハインリヒは、息子マルクスの将来のことを考え、有力者のコネを得るように諭していた[注16]。

マルクスがいかにしてベルリンのサロンに出入りしたか詳細は不明だが、おそらく後の妻イェニー・ヴェストファーレンの弟でベルリン大学に通っていたエトガー、そして従妹のヴェルトハイムの紹介ではないかと思われる。なぜなら彼らは貴族階級に属し、そうしたサロンに出入りしていたからだ。まして詩人を志していたマルクスがこうしたサロンに関心をもたないわけはない。

実はマルクスのパリの住居は当時としては貴族階級の住宅地域パリのセーヌ左岸のサン・トマ・ダカン地区にあった。現在の巨大なオペラ座の北は　ブルジョワ地区であったが、パリのセーヌ左岸の南の地域は貴族的地域であった。

『独仏年誌』の関係で接近した社会主義者ピエール・ルルーなどが通ったアグー夫人[注17]のサ

ロンなどに、マルクスも遠縁の親戚でもあるハインリヒ・ハイネと一緒に出入りしていた。ハイネやヘルヴェーク[注18]はそこの常連であった。ヘルヴェークは、マリー・アグーの友人であった。パリ滞在の最初の時期マルクス、ルーゲ、ヘルヴェークはパリで共同生活をしていた。

マリー・アグーといえば、一八三〇年代に作曲家フランツ・リストと五年間の駆け落ち生活を送った、当時としてはきわめて新しいタイプの女性であった。夫と別居し、作曲家ショパンと逃避し、同棲したジョルジュ・サンドの先駆者ともいえる女性で、ジョルジュ・サンドとも交流があり、なおかつダニエル・ステルンという名前で当時、『両世界評論[注19]』などで健筆をふるっていた。マリ・アグーは、キリスト教社会主義者ラムネーなどとも交流していた。ジョルジュ・サンドは、ピエール・ルルーと共同で『ルヴュ・アンデパンダント[注20]』を編集した。

多くの社会主義者、共産主義者もこうしたサロンで交流していて、文筆の中でだけ論争を行っていたのではないということを、まずは確認しておこう。

そもそもマルクスの『独仏年誌』は、フランス側の有力者に執筆を依頼することにしていたのであり、その中でも、ルルーの『ルヴュ・アンデパンダント』は有力であり、『独仏年誌』に関する書評や、またヘーゲル左派の動きについていち早く掲載したのが、この雑誌であった。

当時のサロンでの話題は、まさに風雲急を告げる革命の動きであり、それはとりもなおさずフランス革命をどう考えるかという問題であった。

この中でマリー・アグーやジョルジュ・サンドは、次第にルイ・フィリップ体制に対する批判的立場を鮮明にしていく。のちにマルクスは、『新ライン新聞』の中で、バクーニンがロシアのスパイであったということを、バクーニンとジョルジュ・サンドとの関係をもちだして記事にするが、やがて訂正記事を書くことになる。そのマルクス自身も、パリやベルリンでの人間関係や、そして妻イェニーの兄であるプロイセンの内務大臣フェルディナント・ヴェストファーレン[注21]との姻戚関係を見ても、プロイセンのスパイと疑われても仕方のないものがあった。

プルードンはこうした関係の中に一切出てこないのである。大学や貴族階級、ブルジョワ階級といった後ろ盾のないプルードンがこうした世界に入れなかったことは理解できる。そうであるがゆえに、彼の文筆活動は孤独で、無鉄砲であった。だからこそ、プルードンはあらゆる人々から批判の刃を向けられるのである。彼が「貧しさの中に生まれ、貧しさの中に死ぬ」といったことは、単に生存の貧しさの問題ではなく、上流社会から排除されていたことへの批判でもあったのだ。

宗教は権力である

プルードンの『所有とは何か』がなぜマルクスにとって衝撃的だったかは、宗教問題を抜きに説明することはできない。そしてそれは、最終的にマルクスとプルードンの対立の芽にもなる問題であった。

プルードンは宗教問題を、権力の問題と考えた。国家権力を構成するあらゆる権力の根本は、宗教の中にある絶対的なものに対する信仰にあると考えたのだ。国家権力は公的な政治を取り扱う以上、公的権力である、当然ながら、その基盤にある宗教権力も公的権力である。宗教国家に生きる国民は、その国家が定める宗教の信徒でなければならない。そうでなければ国民にはなれない。だからこそユダヤ人は国民になれなかったのである。

しかし、宗教が私的な問題であればどうか。それは国家権力とは何の関係もない、個人的な趣味の問題となる。マルクスもそこまでは理解できていた。フランス革命こそ、この問題を解いたのだと理解したのである。フランス革命は、人々をばらばらの個人に分解することで、私的な個人をつくり上げた。その結果、経済的な問題は私的な問題となり、宗教も私的な問題となった。信仰の自由はまさにそこから生まれる。

プルードンは、マルクス以上にこの問題を深く考えていたのだ。宗教が私的なものであれば、私的なものは個々人の自由を保障するだけでなく、権力も構成しない。公的権力として宗教があったのだが、もはや私的なものである以上権力を構成しない。だから、宗教批判は、個々人の信仰の自由を保障したという点で重要なのではなく、宗教のもつ権力構造を打破したことで重要な貢献をしたのである。

国家は、政治を公的権力として維持する一方で、経済とりわけ私的経済を私的領域として自由にした。その結果、どれほど儲けようと国家の規制を受けることはなくなった。自由になったのである。その自由は、平等と矛盾するのだが、結果平等を機会の平等に置き換えることで、平等も自由の中に含まれると主張する。それがフランス革命である。こうした自由の前提条件にあるものこそ私的所有であり、その私的所有を公的権力が保障することで、私的所有は国家の権威の裏付けを得ることになる。

プルードンはだからこう考えるのだ。公的裏付けのない、私的領域として開放される所有はないか。それが共同所有、アソシアシオンである。私的でなく、公的所有でもない所有。共同参加による所有。そこには国家権力によって認められたものではなく、積極的にそこに参加した人民が認める所有がある。その意味でこの所有は、国有でも、私的所有でもなく、社会的所有となるのである。

マルクスは、プルードンのあまりにも衝撃的な分析に、目からうろこが落ちるほどの衝撃を感じたはずだ。

経済学を批判する基礎としての「所有批判」

フランス革命のすべての謎は、この所有問題にあることをプルードンは明確に示していた。そしてそれは近代社会、産業革命によって生まれるブルジョワ社会の運命的な問題でもあった。身分によらない自由な人間の社会は、機会平等という建前で豊かになった階級によって支配される社会でもある。それが近代社会の宿命であることをプルードンは明確に見抜いていたのだ。

マルクスは、プルードンの慧眼に驚きを隠せなかったはずだ。これまでの共産主義者や社会主義者は、社会改革のための小手先に終始していた。労働者の雇用対策や、新しいユートピアの形成などの政策は打ち出していたが、近代社会を根本的に批判する分析を含んでいなかった。共産主義や社会主義は、まさに近代社会の分析なくしては語れないということ、そしてそのためには所有という経済問題を理解せずには語れないということ、新しい社会を展望するにはプルードンが示してくれた問題を避けて通れないことに気づいたはずである。だからマルクスは、プルードンのファンにならざるをえなかったのである。

一八四四年に経済学の勉強を始めたのも、ちょうど「ユダヤ人問題に寄せて」を書き終え、経済学こそ近代社会を分析する必須の道具であるというプルードンの示唆を受けた直後であり、こうした一種の興奮は一八四六年にプルードンと敵対関係に至るまで続く。

マルクスが書いた初期の著作、「ヘーゲル法哲学批判序説」『聖家族』『経済学・哲学草稿』「パリノート」(手稿)『ドイツ・イデオロギー』(未刊)は、すべてプルードンの延長線上にある。その根本をなすのが、経済学批判を基礎に置いた私的所有批判である。

古典派経済学は、これまで私的所有を前提にしながら、それが歴史的なものであり、変わりうることを考えたこともなかったというマルクスによる批判は、プルードンの『所有とは何か』の影響を抜きにしては考えられない。

注1　コルポラティオンとは、ドイツに存在する共同体的組織。
注2　バルザック『農民』（一八五五年）『バルザック全集』一八巻、水野亮訳、東京創元社、一九七四年。
注3　Jean Bodin, *Six Livres de la République*, Paris,1575.
注4　シュムペーター『租税国家の危機』木村元一、小谷義次訳、岩波文庫、一九八三年。
注5　モルリ『自然の法典』（一七五五年）大岩誠訳、岩波文庫、一九五一年。ニコラ・ランゲ『市民法論』前掲書。
注6　マルクスのクロイツナハノート、新*MEGA*版、IV/2.
注7　ミシェル・ヴォヴェル「ラ・マルセイエーズ」ピエール・ノラ編『記憶の場』第二巻、谷川稔監訳、岩波書店、二〇〇三年。
注8　フランス革命の歴史解釈の変化については、Société d'Histoire de la Révolution de 1848 et des Révolutions du XIX siècle, *Le XIX siècle et la Révolution Française*, Creatis,1992.
注9　Buchez et Roux, L'Histoire Parlementaire de Révolution Française, 40vols, Paulin Livraire, Paris,1833-1838. Levasseur de la Sarthe, *Mémoire de R.Levasseur*. A. Levasseur, Paris, 1831.
注10　リヨン蜂起、一八三一年と一八三三年にリヨンで起きた絹織物労働者の蜂起。

注11　一八四四年六月、シレジア地域で起きた織布工の蜂起。
注12　ジュスト・ミリュ（中庸）とは、体制に対して中庸、過激でなく穏当であるという意味。
注13　拙著『「革命」再考』角川新書、二〇一七年。トックヴィルとマルクスとの革命観の違いを参照。
注14　ドラクロワが一八三〇年に描いた七月革命が題材の『民衆を導く自由の女神』。現在ルーブル美術館に常設展示されている。
注15　アルニム夫人、ベッティーナ・フォン・アルニム（一七八五―一八五九）。
注16　ハインリヒ・マルクスのカール・マルクス宛て一八三七年一一月一〇日の手紙。『マルクス＝エンゲルス全集』第四〇巻。
注17　アグー夫人、マリー・アグー（一八〇五―一八七六）。フランクフルト生まれの女性。フランツ・リストと逃亡生活を行った。筆名ダニエル・ステルン。
注18　ヘルヴェークとマリー・アグーとの関係については、Charles F. Dupêchez, *Marie D'Agoult 1805-1876*, Paris, 1989.
注19　『両世界評論』*La Revue des deux mondes*。一八二九年に創刊され現在でも刊行されているもっとも古い雑誌の一つ。
注20　『ルヴュ・アンデパンダント』*La Revue Independante*。ピエール・ルルーとジョルジュ・サンドが創刊した雑誌。
注21　フェルディナント・ヴェストファーレン、マルクスの妻の兄。内務大臣となる。

第４章

マルクス作品への影響

――『経済・哲学草稿』などをめぐって

一　集合労働力という概念

マルクスの経済学研究のはじまり

マルクスは、プルードンが展開した、経済学は所有について疑ったこともなかったという視点から、さらに深く経済学の研究に取り組む。

近代社会、とりわけ資本主義社会を批判するには、経済学の研究が不可欠であることを明確に意識していたのは、プルードンであった。マルクスは、パリで『独仏年誌』に寄稿する二つの論文「ユダヤ人問題に寄せて」と「ヘーゲル法哲学批判序説」を執筆する中で、経済学の意義を理解しはじめていたが、そこにプルードンの著作が現れたわけである。

マンチェスターにいたフリードリヒ・エンゲルスが、『独仏年誌』に「経済学批判大綱」という論文を寄稿していた。マルクスは、それを読んでいた。確かに、エンゲルスは経済的競争が貧困をつくりだしていると言及していた。一般には、これをもってマルクスが経済学へのめり込んでいったのだとされている。

『経済学批判』（一八五九）の序文[注1]の中で、マルクスはなぜ経済学の研究へ進んだのかということを回想している。そこで最初に出てくるのは、モーゼル地域の農民の貧困問題である。生まれ故郷トリーア地域で起こっていたさまざまな問題、農民による木材の窃盗問題、ワイン農家の貧困問題、これらの問題は、トリーアの裁判所で父ハインリヒ・マルクス[注2]が扱った問題であり、子どもの頃から熟知していた問題であったことは確かである。しかし、こうした問題はあくまでも貧困問題に関心をもつ理由にはなるが、経済学に関心をもつ理由にはならない。なぜなら、そこからは経済学の理論的不備が理解できないからである。

同じく、エンゲルスの論文も、競争による需給のアンバランスが経済を悪化させているという議論であるかぎり、貧困の原因は理解できるが、それは競争が悪だというにすぎない。競争を悪だと考え、そこにとどまるエンゲルスは、古典派経済学に対して十分な認識をもっていない。古典派経済学の価値理論をしっかりと読めば、価値と価格の分離は当然のことであり、問題はなぜこうした分離が起こるのかという価値論の問題に言及せざるをえないことになる。

プルードンの『所有とは何か』は、こうした貧困問題という狭い枠を飛び越して、近代社会のもつ盲点をするどく描き、それがとりもなおさず古典派経済学に不備があることを指摘していた。

宗教批判、貧困や労働者階級の問題、資本主義の理念、社会主義や共産主義をめぐって包括的な問題を提起したのはプルードンの書物であった。

しかし、当然ながらマルクスは、プルードンと対立する中で、プルードンについて表立ってその影響を吐露するわけにはいかなくなる。だからこそ、彼に経済学の影響を与えたのはエンゲルスであるといわざるをえなくなったのだ。エンゲルスでなければ、モーゼス・ヘス、[注3]そうでなければヴィルヘルム・シュルツ[注4]などという人物が取り上げられるのは、まさに本丸を隠蔽する意味でしかない。友人エンゲルスを除けば、二人の人物はマルクスにとって忘れられていく名前にすぎない。しかし、プルードンは生涯彼の宿敵になるのだ。

集合労働力

プルードンの『所有とは何か』の中に集合労働力という概念が出てくる。マルクスは、これをもっぱら経済学的問題、すなわち利潤形成の問題としてとらえることで、資本主義社会の収奪の謎を理解する手立てとすることになる。しかしマルクスは、こうした立論は、リカード派社会主義者の立論の系譜にあるとして、やがて批判する。

集合労働力は、所有との関係で展開されるプルードンの重要な概念である。たとえば一〇人の労働力を集合させると、その力は一人ひとりの労働の一〇倍になるのではなく、その結合力は一〇〇倍にもなるという考えである。資本主義社会は、こうした集合労働力をうまく利用することによって成り立っていると説明する。資本主義社会で、ある者が財産を形成し、ある者が貧しくなるのは、こうした集合労働力によるところが大きいと。賃金として支払われる額は、一人ひとりの労働者の労働力にすぎず、集合労働力から生まれた一〇〇という力に対して、賃金支払いは一〇人分の額であることによって、九〇が利潤となるというのだ。

分業や機械生産は、資本主義を稼働させる超過利潤を生み、それはマルクスの場合、相対的剰余価値という概念に転化される。賃金が生活を補う単なる再生産費であれば、集合労働力など使わなくとも利潤形成は簡単に説明できる。しかし、機械工業が発展すると集合労働力という概念が重要になる。まさに生産手段を所有していることによって、集合労働力を利用できるのが資本家である。

しかし、集合労働力の概念にはもう一つ重要な意味がある。第2章で『日曜励行論』に触れたが、もう少し所有との関連で、展開してみたい。

これは所有という概念は私的ではなく、社会的であるということを説明しようとしたものである。日曜は労働者が集団的な意識を形成する場として存在している。労働日は個人がばらばらに分かれて働く日だが、日曜日は労働者が個別的能力を超えて、全体として何をつくったかを知る日である。すべての恵みが、集合された全労働者の生産であることを理解し、その生産物を分け隔てなく享受する日でもある。

ユダヤ人の安息日にも似ていて、労働によって生まれる個別的エゴの汚れを落とす日である。労働日は労働者が自らの労働の対価を受けるという利己的な日である。その汚れを落とすには、集合労働の確認が必要である。集合労働力とは、働かない者も、働いた者もともに享受できることを意味する。生産において個別的に利己的であったものも、食べ、飲み、歌うときは、分け隔てのない世界になるという意味がある。だからこの日は汚れを落とす日である。

集合労働という概念がこうした意味で理解できれば、所有という問題がより明確になる。私的所有という意味は、生産が消費を支配する社会、生産にのみ価値を見出す社会ということになる。私的所有によって集合労働力を収奪した社会は、消費を全体で享受することがなくなった社会である。ここで重要な点は、生産が生み出した集合労働力を誰が奪い取るかということではなく、集合労働力は全員に分け与えなければならないという点である。

ブルジョワとプロレタリア

少なくとも、マルクスは後に集合労働力の問題を経済学的に考察していくとしても、一八四四年段階で、プルードンと問題意識を共有していたと思われる。それが「ヘーゲル法哲学批判序説」に明確に表れている。マルクスにとってプロレタリア階級とブルジョワ階級との対立は、けっして利益の争奪戦ではなかった。ブルジョワ階級に代わってプロレタリア階級が力をもつのは、それが不当に利益を収奪されていることに反発するからではない。その意味において、利潤の源泉を問題にするリカード派社会主義者などとは一線を画している。生産においてプロレタリア階級が収奪されるメカニズムは、それなりに重要なことであるが、収奪されるからそれを取り戻す権利がプロレタリアにあるという議論では、そもそもないのだ。

「ヘーゲル法哲学批判序説」では、経済的メカニズムはまったく言及されていない。それは当然でマルクスは経済学をまったく知らなかったからである。そこで展開されるのは、収奪の論理ではなく、労働する者の全体性という論理である。ヘーゲルの『精神現象学』の自己意識の章で展開されている主人と奴隷という関係を、ブルジョワとプロレタリアに転用しているのである。[注5] 強制的に労働を強いられ、搾取されている者は、逆に労働という地に足がついたものによって結ばれている。ブルジョワ階級は利益を得るが、労働という媒介をもたないことによって孤独である。

それはまさに労働者が集まることによって得られる集合労働が労働者を強くしているという論理である。そこにプルードンの影響を見ないわけにいかない。マルクスはけっして利益争奪戦としてブルジョワ階級とプロレタリア階級の対立を描いたのではなかった。

『経済学・哲学草稿』

集合労働力の収奪が所有をつくり、それが私的所有として合法化され、結果として資本主義社会を支えるというプルードンの論理は、マルクスを経済学研究に向かわせる重要な契機となる。

一八四四年四月マルクスは、経済学を学びはじめる。スミス、リカード、セー、ジェームズ・ミルから始まり、貧困問題のビュレ、シスモンディへと至る。パリからブリュッセルに移ってもノートがとられる。注6

そしてその傍ら書かれたのが、『経済学・哲学草稿』といわれるノートである。これはマルクスの初期の作品として知られているが、実際には引用ノートや書物から抜粋し、それを批判し、思考をメモ書きしたメモ帳のようなものである。とはいえ、マルクスはジャーナリストであり、学者ではない。書いたものをすぐに原稿にしなければ、生活ができない。だからこれは、ノートでありながら、やはり作品でもあるのだ。

この作品は、全面プルードンの『所有とは何か』に依存しているともいえる。プルードンへの言及は少ないものの、私的所有の問題が重要な議論である点で、プルードンの思考のまわりをぐるぐるまわっている。

まず、その第一章の最後の部分は、古典派経済学を批判のターゲットにしているのだが、それは、私的所有批判に尽きる。私的所有を当然の前提としている古典派経済学は、私的所有の結果起こる賃金、利潤、地代といった所得の三分割の本当の理由がわからない。古典派経済学は、所有という問題の分析を避けているために、所得の源泉がすべて労働から来ていることが理解できていない。

そうであるがゆえに、私的所有批判が最大の問題となる。マルクスの視点は私的所有と共産主義との関係、所有問題から私的所有を廃棄することを問題としはじめる。

ところが、プルードンは私的所有そのものを批判しているのではない。私的所有が構成している支配形態を批判していたのである。私的所有の対語が社会的所有＝国有であるとすると、国家権力を掌握し、私的所有を国有に変えれば簡単にすむ話である。しかし、共産主義が、まさにそうしたところへ進めば、国有によってすべてを支配する粗野な体制へと突っ走ることになる。マルクスもそのことを理解していなかったわけではない。だからこそ、私的所有の対語として国有ではなく社会的所有を考えていた。

プルードンの提示したアソシアシオンとは、支配権力のない所有である。私的所有は、かならずそれを管理する少数者の支配を生み出す。その支配をなくすには、国有でもだめである。国家の支配者がそれを支配するからである。権力の支配をなくすには共同管理、自主管理が必要である。そこには、所有という法的所有形態ではなく、所有の在り方としての経営への参加形態が問題となる。

二　追随と離反

『聖家族』とジャーナリズム

マルクスが、エンゲルスとともに出版した『聖家族』（一八四五）は、プルードンへの礼賛の本である。『経済学・哲学草稿』と違って、プルードンの名前が何度も言及され、そしてブルーノ・バウアーたち真正社会主義者を批判するためにもっとも必要な人物とされている。

公刊された書物は、著者の政治的立ち位置を明確に示す。思想の問題以前に、誰が仲間で誰が敵であるかを明確にし、少しでも自らを優位な位置に置こうという作戦が垣間見える。バルザックはこうした一九世紀のジャーナリズムに関して、鋭い指摘をしている。まずは、名を売ることが重要である点に関して、先にも引用した『幻滅』の中でこう語る。

「いいかね、論争こそ名声への踏み台なんだ。思想の刺客、商品や文学や、芝居の評判のほうでのこういう刺客業で、ぼくは月に百五十フランもうけてる。一つの小説を五百フランで売らせる力をもっているというので、そろそろ世間じゃおそろしい男と思われはじめている[注7]」

一八四〇年代といえば、新聞雑誌が大衆化し、学者的生真面目なジャーナリストから、野心家で売名的なジャーナリストが出現する。マルクスもプルードンも少なくともそういう輩《やから》と見られていたことは確かである。後に二人が大学の中で研究の対象となったことで、そうした在野性が消され、真理を追究する学者としてマルクスとプルードンが語られると、その時代の政治的位置や野心が見失われ、真面目な学問論争としてだけとらえられる。しかし、実際はまったく違う。

マルクスは、まずは言論界の地位を得るために、プルードンに近づき、プルードンを礼賛する本を書く。それが『聖家族』という書物である。これはそのタイトルからして、ジャーナリスティックである。そして当時パリをにぎわせていたウジェーヌ・シューの

『パリの秘密』という書物を引用しながら、真正社会主義者をキリストの家族にこと寄せて批判している。批判の中心はかつての仲間ブルーノ・バウアーとエトガー・バウアー兄弟である。

当時パリにいるドイツ人たちは、ドイツ人職人たちの集団がつくっていた秘密結社「義人同盟」と、急進的知識人であるヘーゲル主義者に大きく分かれていた。マルクスはやがて前者に近づき、その中心に座るのだが、当時はヘーゲル主義者の位置にいた。

ヘーゲル主義者は、ベルリンのドクトルクラブを中心に形成されていたが、次第に分裂していく。もっともマルクスに親しかったのがブルーノ・バウアーであるが、マルクスはパリ時代にはすでに「ユダヤ人問題に寄せて」を執筆し、彼を批判していた。パリで『独仏年誌』を編集したルーゲとも離れ、エンゲルスと親しくなり、ヘーゲル主義者との最終的な決裂を図る。それが『聖家族』によってなされたことである。

それに使われたのが、プルードンであった。プルードンは、マルクスにとってヘーゲル主義者との決裂と、義人同盟へ向かう重要な橋渡しをする理論的支柱であった。『聖家族』の中で、バウアー兄弟は私的所有批判に至らない、資本主義社会の偽善的社会主義者として切り捨てられる。

『ドイツ・イデオロギー』

プルードンを通じて経済学へ至ったマルクスは、エンゲルスとともに、ヘーゲル主義者のせん滅と、義人同盟への接近を図る。マルクスはじきじきにプルードンに会いに行き、やがて彼を自らの仲間に引き入れようとする。しかし、もう一つのヘーゲル主義グループがプルードンを取り巻いていた。その中心がカール・グリュンであった。そこで、グリュン批判を『ドイツ・イデオロギー』(一八四五―一八四六)で展開する。

まずそこで批判されているのは、グリュンの議論がなにもかも受け売りであることである。彼のヘーゲル主義、社会主義、共産主義まですべて受け売りで、オリジナリティーはなく、こうした思想を売り歩く売文業であると批判する。『ドイツ・イデオロギー』の中で唯一公刊された部分であるグリュン批判は、プルードンをグリュン派から切り離し、自派に取り入れるための戦略として発表されたものであった。

マルクスは、プルードンに手紙を書き、自らの党派(共産主義通信同盟)に協力をされたしと要求する。それに対する返答が、一八四六年のプルードンのマルクス宛ての書簡である。この書簡は、マルクスの怒りを爆発させた。『聖家族』で褒め、心象を良くしようとしたのに、無残にも否定されたことへの怒りは大きなものであった。

プルードンは、マルクスの思想のもつ危険性をいくつか指摘している。まずなんでも決めつける権威主義であり、徒党を組む党派主義であった。新しい革命思想も、それがドグマ主義に陥ると、権力主義となり、新しい支配を生み出すという点への痛烈な批判であった。ドグマ主義とは、当時エンゲルスとともに確立しつつあった歴史還元主義、唯物史観のもつ独善性であった。プルードンは歴史主義に批判的だった。

『ドイツ・イデオロギー』は、まさにこうした唯物史観を生み出した草稿だといわれる。とりわけフォイエルバッハを批判しつつ、フォイエルバッハが生み出した唯物論の世界を、新たなる歴史的動きと、現実的社会体制の問題、すなわち生産力の問題へと移し、歴史的発展の必然性という概念を創出するに至る。

プルードンはこうしたある意味の歴史の機械主義的解釈を痛烈に批判する。それとプルードンがグリュンから受け入れたヘーゲル主義はまがい物であると批判するマルクスに対しても、明確に否定する。思想家たるもの、他人の意見をそのまま踏襲することはなく、グリュンから教示されたヘーゲル主義も、自らが考え抜いたすえにたどりついたものであり、グリュンと関係はないと断言する。

グリュンがプルードンの師だと吹聴しているなら、それはそれで構わないとさえ述べ、党派同士の喧嘩に巻き込まれるのではなく、自らの思想を磨くべきではないかとマルクスに諭しているのだ。

追従屋ジャーナリスト

これ以降、プルードンの思想は、マルクスにとってすべて反面教師になる。それはまずドイツ人の党派の中での位置を確保するためにも重要な戦略であり、なおかつフランスの中で著名だったプルードンを攻撃することで、一躍言論界にデビューするチャンスでもあった。

ちょうどその頃、『経済的矛盾の体系──貧困の哲学』が出版される。まさにマルクスが進まんとしていた道を先に行った書物であった。マルクスはといえば、当時の人々（ドイツ人だけのことだが）の目からすれば、『聖家族』の共著者の一人にすぎず、ましてそこではプルードンを褒めるお追従屋のジャーナリストにすぎなかった。

マルクスは、プルードンの浩瀚《こうかん》な『貧困の哲学』を二カ月で読み、すぐに批判にとりかかる。それもフランス語で。さすがプルードンのフランス語の誤りを指摘することはないが、プルードンの経済学理解は誤りだらけで、おまけに彼の説は全面二番煎じであることを指摘する。マルクスがよく使う批判のやり方は、相手の説が過去の説の二番煎じ、または剽窃《ひょうせつ》であることを主張することである。『哲学の貧困』でも、そのやり方が使われている。

プルードンとの分かれ道

結局、マルクスはこの書物でプルードンの『所有とは何か』の影響をすべて否定することで、自らの進むべき道を決める。しかしこのことは、歴史的に見て、きわめて不幸な問題を含んでいたといえよう。

まずは、唯物史観である。確かにマルクスとエンゲルスの唯物史観は、社会の動態的発展を理解する一つの方法としては興味深いものであるが、それが機械的に利用されるとドグマ主義に陥り、十分な議論も研究もなく、結論が生み出される可能性がある。プルードンは人間の在り方に力点を置いたのであるが、その人間の在り方自身さえマルクスによって歴史的に規定されることで、総スカンを食わされてしまうのだ。

さらに、私的所有の問題だが、プルードンは私的所有を歴史的なものであるよりは、人間の所有物との関わり方の問題としている。だから国有や公有にしても、私的所有は揚棄できない。人間が所有に関わるには人間集団による共同参加が必要だが、その問題がマルクスからは抜け落ちてしまうことになる。

もちろん、マルクスもけっしてアソシアシオンという言葉を忘れたわけではない。しかし、彼の所有批判は、次第に私有と国有という形で単純化されていったことは間違いない。だからこそ、プルードンにプチ・ブル的社会主義者、すなわち私的所有は残し、小商品生産を行う社会主義者と烙印を押すことになる。プルードンは法的な私的所有を否定しているのではなく、私的所有の在り方を否定しているのである。

科学的（学問的）という言葉の使用も、プルードンがある意味マルクスより先じていたのだが、その意味は二人で大きく異なる。プルードンは、権威やドグマによらない自由な議論を科学的というのだが、マルクスは一つの絶対的真理という意味で使うことになる。プルードンは、そうした絶対的真理はないと考え、つねに社会には批判と進歩があるとする。

言い方を変えれば、プルードンは非体系的にあらゆるものを分析批判するのに対し、マルクスは経済学をすべての科学の中心に置き、そこから体系的に学問を組織していく。二人はまったく好対照の方向へ進むのだ。

だからこそプルードンのような連合、相互主義、自主管理、自由といった問題が、マルクスから次第に抜け落ちていく。マルクスもこうした問題意識を共有していたのだが、プルードン批判を繰り返すことで、どんどんそこから離れていき、マルクス主義そのものが権威主義的なものへと変貌していく。

注1　マルクス『経済学批判』杉本俊朗訳、大月書店、一九六六年。
注2　父ハインリヒとモーゼル川の農民問題については、拙稿「モーゼル危機とマルクス」『一橋論叢』一〇〇巻、二、一九八八年。
注3　モーゼス・ヘス（一八一二―一八七五）「貨幣体論」（Geldwesen）『初期社会主義論集』山中隆次、畑孝一訳、未来社、一九七〇年。
注4　ヴィルヘルム・シュルツ（一七九七―一八六〇）*Die Bewegung der Produktion*,1843.
注5　マルクス「ヘーゲル法哲学批判序説」『新訳　初期マルクス』的場昭弘訳、作品社、

二〇一三年、一一八ページ。
注6 「パリノート」新*MEGA* IV/2. と「ブリュッセルノート」新*MEGA* IV/3.
注7 バルザック『幻滅（中）』前掲書、Kindle,No.382-385.

第5章
大事なのは革命ではなく「経済」である
——実践的社会改革派の思想

一　利子を取らない銀行

所有による宗教と国家の結びつき

プルードンの思想の概略については、前章までで触れてきているが、この章ではもう少し突っ込んだかたちで、彼の思想をとらえ直してみたいと思う。

プルードンの進んだ道は、マルクスと決定的に異なっていた。彼の思想の根本には、少数者の真理を徹底して守り抜こうという意識があった。彼の家系には、断固として意見を守る血が通っていた。彼の祖父トゥルネジ[注1]は、当時農民にあった慣習的権利を守るためにたった一人で権力に抵抗した人物であった。

きちんとした高等教育を受けられなかったが、知的センスという点では図抜けていたものをもっていたプルードンは、仕事を転々としながらも、ジャーナリズムの中で生きていこうとする。ようやくジャーナリストとして独立したのは、すでに四〇歳になろうとしていた一八四八年であった。

『所有とは何か』は、宗教の権威と所有との関係にメスを入れたことで物議をかもしたわけだが、宗教は、家族、国家とねんごろな関係にある。カトリックの教会自体が巨大な土地所有を基にして成立している。土地から上がる収入が教会の収入であり、なおかつ宗教に敬虔な人びとは大土地所有者であり、豊かな人々であった。教会の語る神への信仰と私的所有は一つであり、私的所有を神の永遠の権利としてつくり上げていた。

それを批判したのだから、事は重大だったのである。家父長制と教会はしっかりと結びついていた。家父長制とは、父による支配体系であり、父は家族、および家族の財産を所有し、その父である家父長の集まりが国家であるとすれば、教会はその国家と結びつくことで家父長体制とも結びついていた。一七世紀のボシュエ[注2]が唱えた国家と家父長制をめぐる構造は、キリスト教国家とキリスト教との結びつきを象徴していた。

私的所有を否定することは、家族を否定することになり、家族を否定することは教会を否定することになる。こうした一連の論理によって、プルードンの所有批判は、キリスト教体制に対する大きな攻撃であった。

プルードンは、神の存在そのものよりも、私的所有体制を通じてできあがっている近代社会、その近代社会を規定しているあらゆる権威を否定することで、近代社会そのものを揺さぶろうとしたのであった。

学問の権威の否定

プルードンの『経済学の矛盾の体系―貧困の哲学』は、経済が権威的な人為制度に左右されず、そのまま経済法則通りに動く世界を描いている。すべての制度には必ず矛盾がある。その矛盾を揚棄するために制度を廃止するのではなく、制度をよりうまく利用し、制御することが必要である。そのために重要なことは、経済体制の変革ではなく、経済体制への人間の参加だ。

たとえば価値についていえば、価値通りの交換という概念がある。マルクスは、価値法則が貫徹する社会は、商品経済社会であり、その社会を揚棄しない限り、労働に応じた交換や、搾取の喪失などありえないという。商品生産社会を揚棄することは、私的所有を否定する社会を実現することである。

プルードンは、私的所有の社会を商品生産社会と考え、それが歴史的なものだとは考えない。いつの時代にも商品があり、価値法則がありうるがゆえに、それを否定することは不可能である。価値通りに分配されないことで起こる需給の矛盾、搾取などは、基本的になくなることはない。なくなるとすれば、それは経済に対する人間の積極的かかわりによってしかない。価値通りになるように、公平な第三者を置き、所有を全員参加の自主管理下に置けばよい。

こうしたことから生まれる利点は、私的所有を揚棄した社会における国家権力、あるいは国家権力をもった人間が存在しないことである。だから共産主義的所有をプルードンが認めることはない。共産主義はプロレタリアートによるドグマ的権威社会であり、そこには個々人の自由はなく、社会的所有すらないと考える。あるのは国家管理と国家支配という権威社会である。

分業は分裂か？

プルードンにとって分業が生み出す人間労働の単純化の問題も、こう考えられる。分業は人間の労働を確かに単純化していく、しかし、他方でそれは生産力を高め、分業した労働者たちのつながりを強化する。労働は分業によって労働過程を一蓮托生にする。一人のあやまちが、ほかの人に大きな被害を与える。そこにある意味、分業による人間の信頼が生まれるというのだ。

これは他人と共に働く工場労働の経験のないマルクスには考えられないことである。だからプルードンにとって機械は、人間を一面化すると同時に、人間の共同体制を強化する存在でもあるのだ。

競争は自由を実現するが、過度な競争はかえって自由を阻害する。結果として独占が生まれる。独占によって市場支配という権力が生み出されるが、独占には過度な競争を避けさせる面がある。だから自由も独占も共に必要である。

こうした議論の前提には、価値、競争、分業、機械、独占といった諸経済的カテゴリーは、資本主義固有の問題ではなく、人間社会一般の問題であり、それがなくなることはありえないという意識がある。たとえ私的所有が国有になろうと、それはどうでもいいことである。

法的に私的所有から国有に変えるという問題よりも、内実の所有をどう変えるかの方が重要である。それは人間の在り方にかかわることだというのだ。だからこそ、社会体制の必然的な変化という唯物史観は、まったく間違った議論だということになる。

利子を取らない小口融資

マルクスの『哲学の貧困』が出て数カ月の後に、フランスで一八四八年に二月革命が起こる。プルードンは、その数カ月前、リヨンでの仕事を辞め、本格的にジャーナリストになるため、パリに移る。そんな中で革命が起こる。

プルードンは早速この革命の原因が社会にあるとして、その対策を考える。すなわち、経済的要因に目を向けたのである。二月革命の原因が経済の問題にあると考えたのは、マルクスも同じであった。マルクスは、イギリスにおける鉄道投機と一八四六―四七年と続いた天候不順がその原因で、一八四七年に恐慌が起こったと考えた。天候不順にともなう不作によって、食料の緊急輸入が必要になる。しかし、鉄道投資に向けられていた巨額のお金が引き出し不可能であることによって、金策ができなくなる。それが貨幣や信用ひっ迫を引き起こし恐慌が起きたというのである。プルードンもマルクスと同じく、二月革命の原因は恐慌にあり、その引き金は信用ひっ迫にあると考えた。

しかし、マルクスは革命が起こる原因については関心があるものの、恐慌に苦しむ人々をどう救済するかについては関心をもたない。プルードンは、恐慌の原因よりも、その対策に関心をもつ。結果として辿りついたのは、貨幣と信用の不足を解消する具体的な方法である。

中小企業の金融対策のためには、何が必要か。そこで考え出されたのは、大口の資本家にしか貸さない商業銀行に対して、小生産者や人民に貸し付ける人民銀行の創設であった。その思想を『社会問題の解決』という書物で展開した。

人民銀行は、プルードンが発起人となって設立された。その資本は、株式の発行によってなされた。資本は少なかったが、貸付業務を行えるところまでは来ていた。パリだけでなく、リヨン、ボルドーなどの主要都市にも開かれる計画だった。この人民銀行計画が思わぬ形で崩壊したことは前述した。

貨幣を潤滑油として見る

実は人民銀行はわずかな手数料を除いて、利子をとらない貸付をするということで、自由主義の経済学者バスティア[注3]との論争を引き起こした。無償信用という概念をめぐっての論争である。

貨幣が貨幣を生まないという発想は、中世の伝統である。利子率ゼロは、労働を介しない利益を禁止する伝統としてあった。従来、利子を取るのはキリスト教徒には禁止されていた。だからこそ、その分野にユダヤ教徒が参入したわけだが、ユダヤ教においても、利子は禁止されていたが、例外は異教徒に対して貸し付ける場合であった。まさに異教徒であるキリスト教徒への貸し付けは合法化された。

プルードンのこうした利子なし貸付に対して、バスティアは批判する。貨幣の貸付は、そもそも不等価交換を前提にしたものであり、利子とは、貨幣を貸し付けたサービスに対する報償であり、資本は本来的に利子を必要とするという批判であった。しかし、プルードンは、人民銀行の資金は資本ではなく出資金であり、資本でない以上利子を取る必要はないと反論した。

もっとも、貨幣はインフレ下では、日々価値が減少していくので、獲得したらすぐに使うほうがいい。貨幣を滞納することは経済を麻痺させると、プルードンは考えていた。滞納するまえに貨幣を投資し、貨幣に潤滑油としての役割を大きく見ていた点で、利子を低くして貸し付ける現代の経済政策と似ていないこともない。

もっといえば、当時は正貨である金貨が少なく、金に換わって紙幣を発行し、それをあまり貯め込まないで、どんどん使うことを考えた。それは一定量の労働を貨幣に換える労働貨幣の概念や、やがて地域通貨に進む概念の先駆けの理論でもあった。

二　革命は民衆を虐げる

プルードンの一八四八年に関する試論

プルードンの具体的な実践との関係で、彼の意図が明確にわかるのが、革命後書かれた『革命家の告白』『一九世紀の革命の一般的理念』『一二月二日のクーデタによって示された社会革命』の三作である。

この三部作でプルードンが主張していることは、一八四八年革命の根本的失敗についてである。失敗とは何か。それは、四八年革命が、中央集権的な政治体制に対する人民の社会革命であったということを、多くの者が認識していなかったことである。社会革命というのは、経済改革を中心とした革命のことで、政治による革命ではないということであった。

社会革命とは、政治的権力の奪取によって行われる制度改革とは違い、個々人の経済における改革である。法律や政治ではなく、経済における改革、そこに重要な意味がある。政治による救貧対策や失業対策ではなく、経済的困難を克服する改革は、とりわけ所有、権力、神といった権威を批判することから始める必要がある。そのうえで、経済の均衡を考えるというのである。

プルードンによれば、実際に行われた一八四八年革命は、これらに対する革命ではなく、これらを前提とした革命だったというのだ。人々は所有、権力、神という権力の三位一体にとらわれていた。だから、本当の課題は、この三位一体を超えることだったのである。だから、「もう党派はたくさんだ。もう権威はたくさんだ。人間と市民の絶対的自由を」[注4]という主張が出てくる。一七八九年の大革命をはじめとして、これまでの革命はほとんど政治革命にすぎなかった。

別のいい方でいえば、それは上からの革命であった。それに対して、大衆の革命はこうであったとプルードンは述べる。

「大衆のイニシアチブによる革命、それは市民の一致団結による、労働者の経験による、知識の進歩と普及による革命であり、自由による革命である。コンドルセー、テュルゴ、ダントンはこうした下からの革命、真の民主主義を追い求めていた[注5]」

「権力の下で育てられた諸個人はたちまち権力が、かくあれと思うような存在となる[注6]」

人間は権力という魔力から離れることは簡単ではない。権力の解体こそ、一八四八年の社会革命が目指さねばならなかったことであるが、実際には権力を構築することにまい進した。「臨時政府の過ち、そのきわめて大きな過ちは、構築できなかったことではなく、解体できなかったことである[注7]」。

これまでの革命は、政治権力の交代であった。問題はそうした交代ではなく、政治権力に代わる新しいもの、経済の均衡であるという。経済の均衡こそ政治権力を無力化する仕組みである。人間の社会が経済によって構成されているとすれば、経済の政治に対する優越こそ権力を超える手段となる。経済による均衡が政治的権力の介入なく実現できれば、社会は国家なく存在できると考える。この点はマルクスと決定的に異なっている。

徹底した経済主義

経済の政治権力からの独立を達成するには、労働者の積極的介入が必要だ。それがアソシアシオンである。企業における自主管理、労働者による自主管理は、所有の法的変更ではなく、実質的な所有の社会化である。世界をアソシアシオンの連合によって統合し、中心となる政治権力を解体し、経済の均衡を実現することこそ、四八年革命が目指すことであったというのである。

民主主義批判としてこう述べる。「政府の民主制とは、裏返しの君主制に過ぎないことを証明した――民主主義とは無限に拡大した国家の思想である――[注8]」。こうした民主主義に対して、労働者によるアソシアシオンが主張されている。

そのために、プルードンは積極的な政策として、社会的基本法というものを提出する。「この社会的基本法は、自由な『契約』に基づく諸利益の均衡、『経済的』力以外のものではない。この経済的力とは、一般に次のようなものだ。――労働、分業、集団力、競争、商業、貨幣、機械、信用、所有、売買における公平、保証の相互性などなど。政治的基本法は、原則として権力である。その形態は、階級区別、三権分立、中央集権化、司法的階

層制、選挙による主権の代理などなど」[注9]

しかし、このことがルイ・ナポレオンに対する微妙な関係をつくる。ルイ・ナポレオンは権力を握る政治的独裁に進むのか、それとも経済的自由を実現するのか。「二つの道が、ナポレオンには開かれている。一つは、人民のイニシアチブと利益の有機的連関とによって、まっすぐ平和と平等へと至ることである。これは社会主義的分析と革命の歴史によって示される道である。もう一つの道は、権力によって彼を間違いなく破局へと導くことである」[注10]

この意味で、プルードンは徹底して経済主義である。経済の自由が権力を無力化するという考えそのものは、自由主義経済学に近い。しかし、経済の自由を支えるものが、資本家ではなく労働者である点でまったく異なる。

まさに次の言葉にすべてが含まれている。「革命の使命は、産業組織のなかに政府を解消することにある」[注11]。

革命の原因は、貧困ではなく、希望の喪失にある。希望の喪失とは、一つの貧困ではなく、未来永劫貧困が連鎖していくという絶望の中にあるという。[注12] よっていま革命は政治的問題ではなく、貧困を抱える社会の変革の問題である。そして、社会の変革とは経済の問題であり、労働の組織の問題である。

ルソーの社会契約説を批判する

経済組織をアソシアシオンとした次には、アソシアシオン同士を結びつける連合をどうするかという問題がある。市場の不安定が、結局生産のアソシアシオンを崩壊させるからである。

こうした問題を解決するものとして、相互性という言葉が現れる。「この新しい原理を私は相互性と呼びたいのだが、それは交換者が互いにその生産物を原価で保証しあい、この保証を実行する場合である[注13]」。

相互性とは、市場において買い占めを行ったり、不当な利益を得たりするという行為を否定し、平等な等価交換を実現するアソシアシオン同士の信頼関係である。これは一つの社会契約である。

しかし、それはルソーのような政治的社会契約ではない。ルソーの社会契約はあくまで政治的原理である。もっといえば、それはもてる者による仲間同士の利益を守る契約だ。なるほど所有を前提にする以上、そこから生まれる契約は、もてる者の社会契約であるといってもいいすぎではない。プルードンは次のようにルソーを批判する。

「ルソーのいう社会契約は、もてるもののもたざるものに対する攻撃的かつ防御的同盟にほかならず、市民のおのおのがそこに参加するとすれば、その財産に比例して、または貧困からこうむることになる危険の由々しさに応じて、その市民が保安を果たさねばならぬ、という代物である[注14]」

反動か革命か、評価の分かれ目

プルードンのように経済の発展を政治の上に置くことは、皮肉なことに資本主義の発展をある意味前提にすることになる。もちろんマルクスも、資本主義の発展の上にしか、労働者の世界は実現できないことを主張する点では同じである。

しかし、プルードンの場合は、自由主義的資本主義と意見を同じくする部分があるところに特徴がある。だからこそ、プルードンの思想はある時期（一九二〇年代以降）、保守的右翼思想に利用されることになる。

ルイ・ナポレオンに対する彼の過剰な期待はまさにこの点から来ている。マルクスがルイ・ナポレオンのクーデタを、巧妙なトリックを用いた結果だと考えているのに対し、プルードンは、むしろナポレオンを望んだのは国民のほうだと考えるのだ。

マルクスは帝政へ至る過程を、反革命の流れだととらえ、労働者、社会主義者、民主主義者への反動的弾圧だと考えるのに対して、プルードンは、まさにこうした過程はむしろ資本主義の進歩だと考えるのである。

プルードンは、ルイ・ナポレオンは、革命的であり、まさに封建制への対立として出現したのだと分析する。彼はルイ・ナポレオン人気を一種のポピュリズムだととらえる。奇妙なルイ・ナポレオンの役割をこう描く。

「そしてまず、こうした動きにおいて二つの大きな利点を獲得した彼は、第一に嫌っていた左派をすべて自分のために投票させ、それによって、彼は革命家であるということを示し、革命の首領であることを人民に示すことであった。第二に、もし多数派が大統領に従うなら、多数派を悲惨な選択に追い込み、完全にサバルタン化し、無視すること、あるいは多数派がいつまでも力をもてば、彼らに内乱の可能性を示すことであった。自分は良き役割を、多数派には最悪の人格が与えられた。

多数派は、品位の問題を使って彼にあらゆるチャンスを与えることで法の存続を主張し、大統領が法を援助するのを拒否したがゆえに、最悪の状態に陥った。ルイ・ボナパルトは君主制と民主制との間の闘争の中で、同時に自らの権利の擁護者として人民の擁護者であり、自らの利益の保護者としてブルジョワジーであったのだ[注15]」

ルイ・ナポレオンが民衆の力を結集したのは事実であり、たとえクーデタで権力を握ったとしても、彼に圧倒的な支持があったのも確かである。むしろ議会のほうが、選挙で民衆に裏切られることに戦々恐々とし、民衆の参加する普通選挙権を制限しようとし、自ら墓穴を掘ったのである。

プルードンは、彼の帝政はブルジョワ社会に対する反動ではなく、積極的なブルジョワ社会の実現であると考えた点で、マルクスとまったく視点が違っていたのである。その後二〇年も続く第二帝政は、戦争と公共事業による高度成長の実現であり、またそれを国民が望んだことも確かである。

その意味では、反動を批判したマルクスよりも、資本主義が徹底的にポピュリズムに陥り、ときとしてそれが革命的に見える可能性を指摘したプルードンのほうが、現在のわれわれの社会を見ればわかるように、ずっと先を見ていたのかもしれない。

模擬国家の実験

先に、パリ万国博覧会でプルードンがつくった計画について触れた。そこには彼の思想の一つのモデルとして興味深いものが提示された。博覧会の展示として、後の自主管理、相互性、連合性、労働紙幣の基礎となるモデルを作成する。

博覧会にいくつかの店舗を出し、それらを併せた一つの国家のような模擬組織をつくる。しかし国家のような中央権力を置かない組織とする。生産と消費の組織を立ち上げ、そこでは人民銀行によって決済が行われる。

このモデルの最大の特徴は、中央機関が存在しないということである。そして各施設にはトップがおらず、労働者で運営されるのである。あたかもフーリエのファランステール（共同体住居の設置による新社会構築計画）のプルードン版であるが、フーリエは自給自足の社会の一つの単位をつくっただけであるが、プルードンは自給自足を横に大きく拡大し、それを国家全体のモデルの実験版と考えていた。

さらに個々の企業経営の自主管理化のために、労働者がそれぞれ出資者となるというモデルを、『株式投機家のマニュアル』で展開する。企業は資本主義的であるが、労働者が株主であることで経営自体は労働者の管理となる。それは『鉄道開発を遂行するにあたっての改革』においても展開されるモデルで、鉄道の公共的性格を実現するために、鉄道事業を労働者が出資して発展させるというアイデアを提出する。

プルードンの発想は、確かにその時々の持論だとしても、徹底した権力批判と、それを担保するための労働者の自主的参加という課題は、つねに維持されている。

労働者の権力も解体する

プルードンは、国家権力の解体と同時に、労働者権力の解体も考えていた。徒党を組む党組織には必ず権力が発生する。組織的な統率は、権力の温床になる。だからそうした組織を解体することが、彼の最大の課題となる。

死ぬ直前にまとめあげたのが、『労働者階級の政治的能力』（一八六五）である。校正段階のまま残され、彼の死後出版されたこの書物は、プルードンの遺書といってもよい。

まずそこでは選挙制度が批判される。「隷属された大衆の本能にしたがって、民衆はまず第一に、ひとりの首領に身を任せることを考えた[注16]」。議会制民主主義がいつまで経っても、支配階層を打ち破れないのは、民衆の中にある隷属、依存の意識があるからだとプルードンはいう。だから労働者階級は、こうした選挙制度の下で奔走することよりも、自らが組織する新しい政治能力を身につけるべきだと考えるのである。

さらに共産主義者のような強権的、権威的垂直的支配構造では、ブルジョワ的構造と同じだと考える。結局、下は上に従属し、他人へ権利を委任する形態をつくり上げるからである。むしろ集団ではなく、個々人から出発すべきだという。労働者が上に依存するのではなく、自ら考え、自らが判断するようにしなければならない。その基本は、労働者の自由の確保である、心に正義をもつことである。こうした労働者の集まりが、個々人の相互連帯をつくる。「『自由』、『信用』、『連帯』、これがわれわれの夢である[注17]」。

この中で信用の問題について触れる。資本が私的に所有されている社会では、信用は人間の信用ではなく、抵当による物的所有の信用である。「誠実」という信用に対する信用ではない。相互性の信用は本来の誠実さに対する信用であり、利息はない。

こうして個々の労働では、個人として独立し、自由をもち、正義を遂行する。そしてその労働者は会社に共同参加し、会社としての売り買い、貸し借りも正義を前提とする。そこではどちらかが儲かったり、損したりということはない。いずれも相互に助けあう。こうした企業集団は、相互主義によって結びつく。

それをつかさどるのが経済的な均衡であり、そこには権力の必要性はない。いわば経済均衡が政治的権力を粉砕する。しかも、政治的関係は、こうした相互主義のおかげできわめて大雑把なものとなる。政治はそれぞれの企業と地域が、分権的に結びつく連合主義になるのだ。

注1　トゥルネジ、プルードンの母方の祖父、ジャン・クロード・シモナン。権力に徹底して抵抗した人物であったという。

注2　ジャック＝ベニーニュ・ボシュエ（一六二七―一七〇四）。一七世紀王権神授説を唱えたフランスのモーの司教。

注3　フレデリック・バスティア（一八〇一―一八五〇）。フランスの自由主義経済学者。無償信用論をめぐってプルードンと論戦した。
注4　プルードン『革命家の告白』山本光久訳、作品社、二〇〇三年、八九ページ。
注5　前掲書、九〇ページ。
注6　前掲書、九九ページ。
注7　前掲書、一二八ページ。
注8　前掲書、二〇九ページ。
注9　前掲書、二四五ページ。
注10　前掲書、三三〇ページ。
注11　『十九世紀における革命の一般理念』陸井四郎、本田烈訳、『アナキズム叢書　プルードンⅠ』三一書房、一九七一年、四〇ページ。
注12　前掲書、四二ページ。
注13　前掲書、九八ページ。
注14　前掲書、一二七ページ。
注15　プルードン『一二月二日のクーデタによって示された社会革命』*La Révolution Sociale demontrée par Coup d'État du 2 Décembre*, 1868. pp.44-45.
注16　プルードン『労働者階級の政治的能力』三浦精一訳、『アナキズム叢書　プルードンⅡ』三一書房、一九七二年、六五ページ。
注17　前掲書、一三二ページ。

第6章
マルクスをプルードンで再生させる道
──アソシアシオンとコミューン、相互主義と連邦主義

一　露わになった資本主義の病弊

国家独占資本主義の終焉

現在の資本主義を考えるとき、マルクスとプルードンから何が見えてくるだろうか。まずマルクスから見えることは、資本主義の崩壊構造である。

かつてマルクス主義は、社会主義に代わる未来像であった。ロシア革命とともに生まれた社会主義圏は、やがてその影響力を世界中に伸ばし、一時期は世界の三分の一が社会主義であるといわれた。しかし、この社会主義は、現在では魅力を失っている。その理由は、こうした社会主義国は、遅れた国々が資本主義を達成するための一つの方法、国家独占資本主義国であったと、現在では考えられているからである。

かつて社会主義国が光り輝いていたのは、それが資本主義の発展に対する、それとは違う新しい道だったからだ。しかしそれは、結局発展途上国経済の一つの道を指し示したにすぎなかった。国家独占資本主義をより明確に推し進めるために、国営企業による独占経済によって、一気に資本を蓄積し、発展のための土壌をつくった。

植民地からの収奪にまい進し、欧米や日本などの先進資本主義が進められた。後進国がゆっくりとした資本の蓄積過程を通過することは、ほとんど不可能であった。そうした条件の下、マルクス主義者による国家権力の収奪と社会主義的国有化が進められた。外国資本を追い出して、一国内の閉鎖的市場をつくりだし、資本主義形成のための本源的蓄積を行うことは、ある意味もっとも効果的な発展政策であった。

しかし、こうした国々は、やがてグローバル資本主義の中で、その役割を大方終えてしまった。その象徴が一九八九年のベルリンの壁崩壊である。閉鎖的市場圏と国家による資本蓄積という経済体制は、世界市場の拡大によってもろくも崩れ去り、資本主義市場に包摂されてしまったのである。

資本主義の病

社会主義としてのマルクス主義の展望が崩壊したというものの、資本主義の不安定さは相変わらず変わっていない。日本の長期的不況のみならず、リーマンショック以降は、すべての資本主義国が停滞にみまわれている。

その理由を解くカギがマルクスにあることは、いかなるマルクス主義嫌いであろうとも納得するはずである。マルクスの思想の研究は、社会主義という未来よりも、資本主義の崩壊という方向へと今はシフトしてきている。

マルクスの影響を受けたコンドラティエフ[注1]やローザ・ルクセンブルクなどによって、世界市場における資本主義の長期停滞のメカニズムと、その最終的な崩壊と変化について触れられている。とりわけマルクスは、資本主義の崩壊を単純な恐慌をめぐる議論によって示したのではない。恐慌は資本主義にとってある意味必然的過程であるが、それを乗り越えるメカニズムを資本主義自体がもっている。資本主義は恐慌によって次第に自由競争から独占へと進み、独占の結果、恐慌の周期的発生が減少し、恐慌は大恐慌といった長期的波動をとるようになる。

しかも独占の結果、資本主義は新たな問題を抱えるようになる。とりわけその問題を理解するのに有意義なのが、利潤率の傾向的低落という法則である。資本主義は発展するにしたがって、次第に超過利潤を得るために機械の導入を図り、結果的に価値を生み出す労働者を駆逐する。その結果として商品が売れなくなり、利潤率は低下していく。しかし、生活手段の価値を引き下げ（海外から安いものを入れる）、新市場を開拓したり、新商品を創造したりして、利潤率の傾向的低落を回避していく。

しかし、これには前提条件がある。つまり、海外に安価な労働力があり、原料や労働力が安く買えること、無限に海外市場があること（無限に人口が増大すること）、新しい商品がつねに創出されることである。もちろん、二一世紀になってこうした条件に、さらに新しい要素が加わってきている。それは環境を破壊しないことと、過剰な資源の乱用をしないということである。

バブル創出は付け焼き刃

そうした意味で今では、一般的に資本主義は無限に成長すると考える者のほうが少ないだろう。事実、地球に新しい開拓の余地がなくなったこと、世界人口増がこれまでのような急激な伸びがなくなったこと、後進諸国の賃金が上がりはじめていること（賃金が上がらないと商品が売れない）、新しい商品が開発されていないことがある。かりに新しい商品が開発されても、過去の商品をごみとしてそのまま投棄することは今では許されない。

資本主義の限界は至るところで語られはじめている。その現象が一九九〇年の日本のバブル崩壊、二〇〇八年のリーマンショックという形で出てきたともいえる。経済成長を急激に促進するために、バブル経済を創出することで、一時的な繁栄をつくりだす。しかし、これは付け焼き刃であり、資本主義の長期的展望は悲観的である。

それをポスト資本主義という言葉で言い表している。資本主義は気候変動、市場の限界、人口の停滞、高齢化などによってそろそろ役割を終えつつあるのではないかという議論に説得性がある。

ポスト資本主義

最近になって語られはじめたポスト資本主義という考えは、資本主義の限界を示すものである。資本主義の後に来る社会が、どんなものになるかはさて置いて、資本主義が現在の地球環境と照応しなくなっていることを、ポスト資本主義として語る向きが多い。

さらに、人工知能（AI）の出現で大半の仕事が奪われ、機械が人間に取って代わってしまうことで、人間に支払う賃金がゼロ度になり、何のためにものをつくっているのかわからなくなる社会が出現する可能性がある。

しかし、資本主義は商品生産であり、その商品を購入する労働者が存在して成り立つ。その一方、資本家は労賃を下げたいという欲望をもっている。これは自己矛盾である。だからこそ、自国の労働者の賃金を引き下げ、海外で商品を売るか、海外の労賃を下げ、そこでつくった商品を自国に逆輸入するか、時代に沿ったビジネスを行ってきたのだ。

また、新しいネット社会は、新しい技術をまたたくまに世界に拡散する。かつて後進国と先進国の格差は、技術移転の速度が遅いことで絶対的な壁をもっていた。ところがグローバリゼーションの結果、後進地域にさまざまなパーツ工場ができ、それを組み立てるソフトもネット社会の普及で一気に拡散するようになり、遅れた地域でも高度な技術がまたたくまに開発され、場合によっては先進国を追い越すという現象が起きている。先進国は貿易戦争という形で、高度技術の移転に歯止めをかけようとするが、後追いになるのが落ちである。

また、アメリカをはじめ多くの国々の大学や研究所は、後進地域の優秀な学生を受け入れることで繁栄を極めてきたが、彼らが最先端の技術を身につけて海外にその技術をもち出すことが多くなっている。こうしてどんどん新しい技術がコピーされ、タダで普及することで新しい問題が起きている。

多額な開発費をかけたものが、またたくまに普及することで先進国の優位が崩れ、さらには発明の著作権それ自体が次第に安価になることで、資本主義社会の超過利潤の形成メカニズムが変化しつつある。限界生産費(生産量を一定の水準からさらに追加的に一単位増加するのに必要な費用のこと。限界費用ともいう)ゼロ度という問題は、利潤の形成をきわめて弱くする。

こうして社会がすべての技術をみんなで分け合う共同社会へと少しずつ進みつつある。もちろん国家権力と資本主義は、おいそれとこのことを許しはしない。だからこそ軍事力や経済力を使って、後進諸国へ圧力をかける。現在の貿易戦争はそうした事実を裏付けている。

　また、消費者のほうも変化している。これまで私的所有という形で、家や車を個人的に所有していた人々が、協同で所有するシェアリングに向かいつつある。シェアリング社会では家や車といった高額商品が売れなくなる。それが結果として商品の売れ行きを悪化させ、利潤獲得を不利にしてしまうのだ。しかも、先進国社会の軒並みの高齢化はそれに拍車をかける。高齢化することで、市場が縮小し、商品の売れ行きを悪くしているのである。こうした資本主義社会に不安をもつ者が、マルクスの意図した資本主義の崩壊という問題に関心をもちはじめている。

　しかし、その後に現れる社会主義や共産主義というイメージに関しては、ソ連の実験の失敗がたたって、全体主義社会として忌避される傾向がある。国家による管理を忌み嫌う動きは、国家なき未来社会への展望という方向に関心を深めつつあるのだ。そうした中、異彩を放つのがプルードンの発想である。

二　処方箋としてのプルードン

プルードンの可能性

ではなぜプルードンがポスト資本主義を考える際に重要になるのか。プルードンの課題は、資本主義社会を終焉に向かわせることではなかった。むしろ、資本主義の中で起こる諸問題をどう解決し、資本主義が絶対王政から引き継いだ中央集権的な権力をどう分解し、それを分権化するかということであった。

彼にとっての社会革命とは、経済革命であり、国家権力の介入による革命を避けることだった。資本主義社会がつくりだした個人の自由を前提にしながら、そこから起こる不均衡をどう解決するかという点に、彼の問題はあった。不均衡は、国家権力による介入によって起こる。それは国家が資本家の利益のために利用されているからで、それが一部の資本家の利益の源泉になる。

プルードンの考えは、資本家の利益と国家の権力を労働者に開放しようというものである。労働者が資本家に取って代わるだけでは、資本家がもっていた国家権力を労働者が奪い取るだけに終わる。そうなると結局個人の自由は束縛され、またしても権力がはびこる。そこで、国家権力を使わない形での権力の掌握、すなわち権力の解体、分権化が考えられる。

資本主義後の世界は、やがて個々人の連合体になると主張する。プルードンは個人の自由を前提にし、その個々人が横並びに水平的に交わる社会を思い描く。その組織がアソシアシオンである。

一人ひとりの労働者が出資し、経営にも参加することで、アソシアシオンは労働者の所有となる。資本主義がつくりだした経営と資本との分離、経営と労働者との分離をアソシアシオンは克服している点で、新しい企業像を提示する。

アソシアシオンの組織は、単に経済的単位ではない。経済的単位であると同時に、政治的単位である。各アソシアシオンは対立や競争という関係ではなく、経済的相互性によって成り立つ。経済的相互性は、経済の均衡によって実現されるが、不都合が生じた場合、各アソシアシオンはそれを克服しなければならない。

そのとき、経済的に活躍するのが、アソシアシオンによる銀行である（これについては後述する）。

そうしてできた一つの地方組織が、ほかの地域と政治的な調整を行わざるをえなくなる。経済的決済がうまくいけば均衡が保たれるのだが、過不足が生じる可能性がある。こうした地域間、アソシアシオン間の問題は、相互の連合によって調整される。連合とは政治的結合のことで、これも労働者の自主的な政治活動によってなされる。

利潤率の低落

これからの資本主義の未来像を展望してみよう。巷で起こっている問題の一つは、マルクスが考えたように資本主義が次第にその寿命を終えつつあるということである。新しい市場の喪失、新製品の不足、後進地域の所得上昇によって利潤率がどんどん落ちている。このことは利潤率の低落、利子率の低落として現れている。先進国では人口はすでに減少しはじめ、後進地域においてもやがて人口は減少するといわれている。こうして人口減によって消費市場が狭まることで、投資しても利潤の分け前が少ない世界が出現する（一説によれば、二〇八〇年頃に世界的な人口増も頭打ちとなるという）。

環境問題

さらにそれに拍車をかけるように、環境問題が起こっている。これまで新しい商品が出現するたびに捨てていた商品を、再生するか、長持ちさせなくてはならなくなっている。環境に負荷を与える新商品の開発が難しくなり、再生可能な開発が求められるようになる。場合によっては、成長ゼロ度の世界が出現する可能性がある。環境に負荷を与えないで成長し続けることが不可能であれば、自ずと資本主義の利潤追求は不都合なシステムとなる。

資本主義にとって成長は生命線である。再生可能（SDGs：Sustainable Development Goals）な成長[注2]という概念に、国連総会が最後までこだわったのは、そうした資本側の諸要求があったからである。

ＡＩ（人工知能）

また一方で科学技術の進展は、従来型の労働形態を脅かしつつある。たとえば、ＡＩ技術[注3]は、これまで単純な作業領域に限定されていた機械を、知的作業領域まで拡大し、知的労働者という存在自体が不安定になっている（今のところ事務的労働に影響は限定されているが）。労働者の機械への置き換えが、一企業の中だけで起こるならば、その企業の超過利潤を生み出すが、それがすべての企業に波及していけば、所得を得る労働者が消え、労働所得による商品の売り上げが減ることになる。海外に市場を求めても、そこでも同じ現象が起きている可能性がある。失業した労働者は黙ってはいないであろうし、どうにかして彼らに商品を買わせる手段を考えねばならなくなる。

資本は労賃を下げることに奔走するので、所得の問題は国家の問題となる。国家が企業に高い税金を払わせ、それを労働者に戻すベーシック・インカム論[注4]が出てくる可能性はある。しかし、高い税を払うことは資本の論理に矛盾する。そうなると資本主義的企業ではなく、公的利益を目標とした企業となる。

まさに一九世紀にイギリスの科学者ユア[注5]が理想とした、機械が労働者の労苦を取り払い、労働者は楽になるという世界の出現である。それは資本の利潤追求を目的とする資本主義の終わりである。となると、ＡＩ技術の導入は、いずれ資本主義を破壊してしまうかもしれない。

ティール組織

一方で知的単純作業から排除された労働者が、より知的な領域に移動することで全員が専門労働者化するとなれば、所得の問題は解決する（それだけの移動人口をまかなうだけのキャパシティがそこにあるかは問題だが）。こうした知的領域の労働者は、比較的時間を自由に使うことができる。朝に釣りをし、夜に読書をするといったユートピア的理想に似ていなくもない。知的労働者は自己裁量の労働者となり、時間の拘束から逃れるからである。

それと同時にこれまで資本主義が前提としてきた時間労働賃金、出来高労働賃金という概念も希薄になろう。これらの労働者の活動を測るには、時間ではなくその創造性に拠ることになる。

そうした知的労働者の活動は、創造的仕事になることで、これまでのような上意下達型から、ティール組織型[注6]という下からのチームワーク型の労働になろう。いやすでにこれまでの監視型、命令型の企業は影が薄くなりつつある。

ティールとは組織モデルの進化の過程を色で表し、最新型の創造的な組織をティール色（青緑色）で表現したものである。そこでは与えられた目的ではなく、新しい創造的仕事が問題とされ、主体的意志が必要とされ、中央権力は極力廃され、ごくフラットな組織がつくられる。外注の仕事であっても、それを受けるかどうかは労働者が決める。

成果を上げた人間への報酬をどうするかも労働者同士の評価で決める。それがある程度の企業規模のところでも成功を収めている現実がある。AESという従業員四万人規模の電力会社（アメリカ・バージニア州）などがある。労働者が命令通り動くのではなく、自らの意志で動くとすれば、それは自主管理的組織だということになる。

とはいえ、そうした創造的労働にたずさわれない労働者はどうなるのであろうか。利益を生まないボランティア的な労働にたずさわるのか、失業し国家から生活保護を受けるのか、それとも一九世紀の人々が考えたように、人間はみな平等で、勉強すればそうした知的な仕事に就けるようになるのか。いずれにしろ、資本主義社会では解決できない問題が、ここに出現している。いずれも資本の利潤追求運動から外れてしまうのである。

シェアリング

先にポスト資本主義に特徴的なものとしてシェアリングエコノミーを挙げた。それは、資本主義の発展の前提であった自己所有、私的所有のエゴイズムが次第に希薄になりつつあることと関係する。

すでに達成された豊かさの中で、人々の消費欲や所有欲が変化しつつあるからだ。働いて自動車や家を買うというこれまでの生き方がなくなったというわけではないが、高齢化の中で家屋が余り、自動車が余る中で、あくせくしてローンを組むより親の家をそのまま譲り受けたり、場合によっては何人かでシェアするほうが便利だと考える者が増えつつある。もちろん環境に適合しない車や家は買い替えねばならないだろうが、環境基準に適合すれば、そのまま壊さず廃棄せず長持ちさせることが重要になる。

自動車サービスのUber《ウーバー》、宿泊施設の貸し出しのAir bnbなどシェアリングエコノミーが話題になって久しい。Uberに反対するロンドンのタクシー運転手が大規模なデモを行ったことも話題になった（タクシー数千台が道路を封鎖した）。それは細かく難しい路地の行き方まで覚えて資格を取ったのに、脇から素人が手を出すな、という意志表示だった。

これまでも別荘のシェアなどあったのだが、それは効率と資金の面の妥協であった。しかし、所有欲の変化がその原因であれば、資本主義お得意の広告合戦で煽られようと簡単に変えられるものではない。シェア運動は、一種の共同体の運動ともいえるからである。金はあるのだが、友人と共有スペースをもつことに関心があるとすれば、それは資本主義的意識ではない。まさに限界費用ゼロの社会が現前する可能性がある。

ブロックチェーン[注7]

これまで、資本主義社会は国家権力とともに発展してきた。国民国家をつくり、国内市場を閉鎖し、国内の資本家がその市場を使って資本蓄積をし、ナショナルフラッグをつけて海外に進出する。その企業が輸出をし、利益を得ることで国内は潤ってきた。その限りにおいて民族企業は、その国の宝であった。

しかし、企業が多国籍化し、資本が国際化することで、ナショナルフラッグをつけた企業が、かならずしも国民国家の利益になるということはなくなった。国家が莫大な資金を投資し、保護してきた会社が、必ずしも国家の利益になるという時代ではなくなっている。もちろんリーマン級の恐慌が起きれば、企業は国家にすがりつくしかないのだが、莫大な利益をあげているときは、国家など見向きもしない。きわめて多国籍な企業となっているのだ。

とはいえ、国内市場は今でも海外の企業に対し閉鎖的だし、年金や安全という点で国家のもつ意味は減少しているわけではない。とくに国民は、この一世紀で確立した国家という概念を永遠のものと思い、オリンピックや各種スポーツの世界大会で自国を応援することに熱中する。だからこそ、安倍首相やトランプ大統領などは、さかんに〝国家返り〟を進めるのだ。

しかし、グローバル化の進展が止むわけではない。国民国家の財政的切り札でもある通貨を揺るがしているビットコイン問題[注8]は、国家というものの存立の危うさを浮き彫りにしている。今でも自国で強い通貨をもつことは、重要な課題である。通貨の信用をなくし、国家破綻になれば超インフレで、すべてが崩壊する。

絶対的に安定した通貨は、今でも生産量が限られている金であることは間違いない。しかし、グローバル化の中でどこでも容易に決済できる通貨の必要性が高まっている。もはや海外旅行で、現地の空港で通貨を大量に換えるという習慣は減少しつつある。クレジット払いにするからである。もちろん、そこには通貨の名前が刻んであるが。

しかし、ビットコインという新しい通貨は、これまでの概念を大きく破るものである。最新のコンピューターソフト技術と画期的な暗号技術に裏付けられたブロックチェーンは、貨幣の決済、貨幣の発行をかなり厳格に行える技術である。貨幣の発行という技術以上に、資金管理の中央集権的機能をなくす意味で画期的技術かもしれない。中央銀行の政策が効かなくなる。こうした技術が資金決済に使われると、中央決済のない、国家なき社会のモデルにもなりうるかもしれない。

現在の国際送金は銀行間の信用ネットワークでなされている。A銀行とB銀行で「コルレス契約」があれば、送金ができる。しかし、AとBにつながりがなければ、AとBに相互につながりのあるC銀行を介さないとお金を送れない。手数料を余計に取られ、日数も三、四日かかる。介在する銀行が複数になると、送金後でないと振込額がわからない。それがリップル（ブロックチェーンの一つ）だと一〇分以内に送金が完了し、手数料も数十円以内ですむ[注9]。

ブロックチェーンを使ったいろいろなアイデアが提出されている。国家はそれを見逃すのか、それとも何らかの規制を打ち出すのか、せめぎあいが続きそうである。

ポスト資本主義とプルードンの社会モデル

さて、プルードンが考えた社会は、ポスト資本主義の新しいモデルに適用できないだろうか。プルードンがつねに批判したのは、中央権力であった。教会、国家、党といった権力を批判することに彼のポイントがあったことはすでに述べた。いい換えればそうした権力は、自らの中に巨大な所有をもつことから始まる。権力を生み出す所有の否定は、権力を批判する際に避けて通れない。

所有の揚棄は、所有を法的に国有にしても変わらず、所有そのものを解体するしかない。もちろん所有形態が変わったからといっても、誰かが独裁的権力を行使すれば、そこから再び権力が生まれる。だから所有者の民主的参加、自主管理しか所有を揚棄する道はない。

もちろん、こうした社会を実現しようとすれば、国家は消滅し、個々の企業と地域社会だけになる。それを実現するためには、それぞれの社会が連合を組むしかない。しかも国家を超えた巨大な権力が存在すれば、そうした集団はひとたまりもない。フーリエのファランステールと同様、小さな地域社会の存在は、現実的にはかなり難しい問題がある。軍隊や警察が担ってきた治安を、小さな地域をまとめる人民軍や人民警察ではたして可能なのかどうか。国家権力を使った巨大な軍隊、巨大な警察組織が要求されてきたのには理由があったわけである。

それがソ連のような社会主義国が、資本主義国家と同様の権力国家、官僚国家になった原因である。資本主義であろうとも、社会主義であろうとも、たとえば一部の権力者、たとえば資本家、たとえば党によって支配される国家になったのである。しかしたとえ実現不可能だとしても、中央権力のない社会がある条件の下で実現できるとすれば、それはそれで興味深い話である。

国家のない世界市民社会の実現。それはアソシアシオンによる地域連合の社会であり、国家同士の戦争もない。たとえ理想論だとしても魅力ある社会かもしれない。

脱成長の社会と信頼

一方で資本主義社会は、環境問題によって無限の利潤を獲得する経済成長と矛盾するようになっている。こうした制約の下では、再生可能な脱成長社会である必要がある。その社会では、人々は成長よりも信頼や、生きている意味を探るようになるだろう。また先に述べたごとくＡＩの実現によってますます労働者はより創造的、知的な労働者とならざるをえない。高度な知識をもつ労働者が多く必要とされることで、より高い教育が求められるだろう。労働者は労苦の多い労働から解放され、余暇の有用な使い方が重要になってくるだろう。そうした人々は労働と経営、政治とを同一に楽しむ可能性も出てくる。ティール組織は、人々の自主性や創造性という観点から見ると、自主管理を進めるために重要な視点を提供しているといえる。誰か上位の人間のトップダウンではなく、自らの意志で切り開いていく点において、自主管理型の世界を創出している。社会の発展がそうした組織をつくりだしているとすれば、一九世紀に考え出されたアソシアシオン組織もうまく機能するかもしれない。

科学史家の神里達博は、ブロックチェーンによって地方に埋もれる人材の資金的スタートアップが可能になり、地方分散の可能性も出てくると述べている。

そしてアソシアシオンを結びつける経済的均衡の機能も、ブロックチェーンの技術を使えば、可能かもしれない。

時代はプルードンの考えていた労働者による自主管理と、国家なき連合へと進みつつあるのかもしれない。マルクスの資本主義分析とプルードン型未来社会をどこかでクロスして考えると、意外に新しいポスト資本主義社会のモデルができあがるかもしれない。マルクスの思想もプルードンの思想も共に死んだのではなく、新たに復活する可能性があるのだ。

注1　ニコライ・コンドラティエフ（一八九二―一九三八）*The Long Waves in Economic Life*, 1935.
注2　SDGsは二〇〇一年に発表され、二〇一五年国連サミットで採択された持続可能な開発。
注3　AI技術、人工知能ともいわれる思考するコンピュータ。
注4　ベーシック・インカム論、人々に政府などの機関があらかじめ給与を配給することで、人々の基礎所得を形成するもの。
注5　アンドリュー・ユア（一七七八―一八五七）『工場の哲学』。Ure Andrew, *The Philosophy of Manufacture*, 1835.
注6　ティール組織、組織を色分けしたときの色で、上からの命令下達ではなく、下からの創意が実現する組織の色。フレデリック・ラルー他『ティール組織』鈴木立哉訳、英治出版、二〇一八年。
注7　ブロックチェーンシステム、暗号を使った決済システム。岡嶋裕史『ブロックチェーン』講談社、二〇一九年。
注8　ビットコイン問題、ブロックチェーンを使った仮想通貨システム。巨額の資金が流出という問題を抱えている。
注9　神里達博『ブロックチェーンという世界革命』河出書房新社、二〇一九年。

補 論

可能性としてのアソシアシオン

つねに権力が発生する

以上述べてきたように、プルードンの思想の根幹をなすのが、アソシアシオンという考えである。アソシアシオンは、共同体でも協同組合でもない。なぜならそれは具体的な所有形態を意味しているわけではないからだ。経済の根幹を国有、私有といった所有形態で理解することに慣れたわれわれにとって、理解するのに難しい概念である。

彼がもっとも主張したかったのは、権威と権力の否定である。宗教や国家などあらゆる権力の否定である。人々の交わり方は、つねにある権威と権力をともなってきた。組織された交わりでも、組織されない交わりでも、そこには身分や階級、学歴や経歴といった権威がつねに存在してきた。そうした関係をすべて取り払って結びつくもの、それがアソシアシオンであるといってもいい。

所有の否定は可能か

当然ながらある組織をある者が所有すれば、それはつねに所有者の権威がまかり通る。国有であれ、私有であれ、その所有者の権威がすべてを決定する。だからこそ、法的な意味での所有形態をいくら変えてみたところで、結局どこかにその所有を決定する権力が存在し、その権力をもつ者が自由に権力を行使できる。その意味で私的所有を否定するのではなく、所有そのものを否定するしかない。そうすれば、権威はなくなる。しかし所有を否定することははたして可能か。

所有を曖昧にすることはできる。公的セクターといわれるもの、株式会社といわれるものは、ある意味責任者が不明確である。その長といわれるものが所有権をもっているが、直接的には議会や、株主総会でその力が限定されていることから、私的な自由を束縛されている。

しかし、それでも誰かの所有である以上、その所有者である者が、かならず力をもつ。ではそれを否定するにはどうしたらいいのか。

協同組合では不十分

それがアソシアシオン的所有形態の最大のポイントだ。まずできる限り平等な所有形態に所有を分割することである。その限りにおいては協同組合に近い。一人ひとりの持ち分に応じた所有権があるからである。しかし、それは所有権をある者が束ねることを否定しているわけではない。それぞれがある権威に怯えれば、個々人の所有形態は形骸化せざるをえない。株式会社もアソシアシオンの一つであるが、たとえ一株株主だけだとしても、それを束ねる権威がいれば、その人物の私的所有になる。

こうした難しさを乗り越えることが、プルードンの自主管理といえるものである。人々は所有権者として存在することだけでなく、その経営に積極的に関わることによって、法的所有形態を、実質的に無化していくのである。誰がもっているかではなく、そこでどう活動するかが重要なポイントとなる。所有を経済的に社会化すること、すなわち否定することは、法的な私的所有形態を公的な所有形態にすることではなく、経済的な決定権に積極的に参加することである。その意味で協同体や共同体という法的形態だけでは不十分なのである。

集合労働に意味がある

フラットな組織をつくろうとすれば、それぞれの組織の労働者は、単に一株株主の労働者として所有権をもつだけではなく、その経営に参加する自主管理の権限をもたざるをえない。こうして労働者は、反面で経営者という側面をもつのである。プルードンが労働組合を批判するのは、その意味である。

もちろん、自主的に参加する労働者の間に質的相違が存在すれば、そうした自主管理は意味を失う。民主的組織運営をつかさどれる教育を受けた者が次第に権力をもつようになるからである。従属的人間の意識を変える教育こそ、そこで求められるのだ。所有形態が変われば終わるというものではなく、継続的な人間の意識変革が求められることになる。

その場合プルードンは労働者、職人でもあったことで、労働者的観点がつねに基礎にある。働くことによってしか生まれない共同意識の形成があることを彼は知っていた。働くこと、そして休むことといった一連の過程は、人々に共同意識を生み出す。労働が自己の労働に対する労賃を要求する場所だとしても、労働は集団的労働、集合力の結晶である。賃金を一人ひとりばらばらに手渡すことは労働を個人に還元することになる。そうなると利己心と功名心が拡大し、労働者の共同意識は失せてくる。だからこそ、労働は集合労働であるという観点を捨てることはできない。

アソシアシオンと銀行

アソシアシオンの銀行は、経済的不都合を取り除く機関であり、生産・流通のための人民銀行券の発券、融資の中心である。しかし、銀行に権力が集中しないように、銀行は流通・信用の媒介を主とし、それ自身が利益の中心になることはない。単なる物理的決済機関といってもよい。

アソシアシオンとアソシアオンとの間の交換は、等価交換でなければならないし、お互いの利益を確保する相互主義でなければならない。ここでは競争という原理が姿を消す。アソシアシオン内部で共同性が保たれる必要がある。それは外部のアソシアシオンに対しても妥当する。

等価交換、つまり価値通りの交換は、それぞれのアソシアシオンの生産性が違うので容易には達成されえない。生産性の違いがあれば、他のアソシアオンの利益を収奪することにもなる。労働紙幣や、人民銀行による利子のない貸付は、かなり綿密な議論をしないと片付かない複雑な問題であるとしても、どちらが利益を上げるのではなく、お互いが得をするという相互主義の考えは重要である。

しかしながら、銀行はアソシアシオンの相互主義を確保する機関になりえる可能性がある。相互決済システムとして銀行は、利益の偏りを是正する義務がある。それと同時に無償の信用、利子なし信用を与え、弱いアソシアシオンを助ける義務がある。

行政体としてのアソシアシオン

労働と経営がアソシアシオンの重要な仕事であるが、そうなるとこれらの組織の外に公的機関として存在する役所が権力の場所となってしまう。そこでアソシアシオンは役所の役割も果たさねばならない。政治への参加である。地方政府への参加は、重要な役割である。

しかし地方への政治的参加だけでは事はすまない。実際に存在する国家は、財政、軍事、教育、文化といった集中的機能で、公的部門を担っている。他国が存在している以上、そこに戦争の危険がつきまとう。そのため、国家の役割、そして公務員たる官僚の役割がどんどん増えていったのが一九世紀である。その意味で、こうした官僚国家を乗っとって、国有化を実現するという政策が、ロシアのマルクス主義に起きたのは当然である。

アソシアシオンの難点は、この国家をどうするかということにある。国家を言葉として否定することは難しくないが、国家の存在理由を否定することは簡単ではない。国民国家なり、帝国なりが存在する以上そこに存在有理があるわけで、それをどうするか。軍に関しては、もともと都市の護衛軍が近代的軍制度になったわけで、民兵組織を考えることも可能であるが、道路や橋の建設といった数々の分野に関して、代議制をとらないで直接に統治していくことはきわめて労苦を必要とする話である。

未完成のアソシアシオン

実はプルードンは、国家を否定しても、その後をどうするかという点にまで配慮した組織を構築できていない。連合という組織でアソシアシオンを水平的に並べることで、経済的な対立を抑制できるとしても、公共事業など中央集権的配分をどうするかという点ではまったく具体的な案が出ていない。

とはいえ、こうしたアソシアシオンは、行き詰まった資本主義が今後どうなるかという問題を考えるときに、興味深いビジョンを提出していることは間違いない。

利益中心の経済を止めること、そのための経済構造をアソシアシオンにすること、それによって等価交換と競争のない低成長の経済を実現すること、労働者も経済的利益ではなく、生きている意味を探すこと、そして誰か権威ある人物に従うのではなく、自分で考え、なによりも人間が一人ではなく集団として生きているのだということを認識し、自ら働き、考えるという多面的な人間となること、こうした現代的問題に一つの示唆を与えていることは確かである。[注1]

注1　プルードンのアソシアシオンに関してきわめて簡略的文献として、Chantal Caillard et Georges Navet, *Dictionnaire Proudhon*の項目Association, Democratie Industrielle, Mutuellismeがある。また、Edouard Jourdain, *Proudhon Contemporain*,CRNS Edition, 2015. を参照。

おわりに

ハリネズミと狐

イギリスのイザイア・バーリンは『ハリネズミと狐』[注1]という書物で、二つの人間のタイプを挙げている。それは、ハリネズミ的人間と狐的人間である。前者は、一つのことからすべてを割り切っていく体系型人間で、後者はありとあらゆることに手を出し、まとまりのつかない非体系型人間ということになる。バーリンは、具体的に前者の主要人物として、ダンテ、プラトン、ルクレティウス[注2]、パスカル、ヘーゲル、ニーチェなどを挙げ、後者の人物としてヘロドトス、アリストテレス、エラスムスなどを挙げている。[注3]

さて、マルクスとプルードンをこうした観点から見ると興味深いかもしれない。ハリネズミのマルクスと、狐のプルードン。もちろんこれは、いささか単純な区分といえる。実際バーリンのこの書物は、どちらに分類したらいいか疑問に思うトルストイの研究であり、結局どちらともいえないというのである。しかもトルストイに大きな影響を与えた人物プルードンについてこう述べている。

「プルードンの混乱した非合理主義、ピューリタン主義、権威とブルジョワ的知識人に対する憎悪、一般的にルソー主義的な傾向と激烈な語調、これらすべては明白に彼（筆者注・トルストイのこと）を喜ばせた。同じ年に刊行された『戦争と平和』から彼が小説の題名を取ったことは、おおいにありうることである[注4]」

バーリンはプルードンをハリネズミ的と考えたのか、狐的と考えたのか、ここでは語られていない。だから、プルードンを狐というのは言いすぎではある。

プルードンとマルクスという好敵手

しかし、マルクスと対比すると二人の違いは明白である。あれもこれも手を出し、ある意味どれも完成させることのないプルードン、一貫して政治経済学批判を完成させようとするマルクス。社会を多元的に見て、歴史、分業、生産力、人間などなど、なに一つ歴史を動かす主動力などではないと言い張るプルードン、歴史は生産力が規定すると言い張るマルクス。

いやそうであるがゆえに、二人は強力なライバルでもあったといえる。とりわけ自由に飛びまわるプルードンを追いかけることで翻弄され、一つの思想に固執することで、その磁力から逃れようとするマルクス。それほどプルードンはマルクスにとっての強力な磁場であったともいえる。

この磁場から逃れるためには、つねに批判を繰り返し、自らの位置を確かめるしかない。いや自らの位置を確かめることは、プルードンを批判することからしか生まれないとマルクスは思ったかもしれない。

科学的社会主義、経済学と弁証法、私的所有批判、権威主義的国家、共産主義の陥穽、

アソシアシオン、自由な個人などなど、マルクス自身が追求しなければならない多くの概念が、すでにプルードンにより提出されていたことは、彼にとって深刻な問題だった。

実はマルクスの考える共産主義とプルードンの考える未来社会にはそんなに大きな違いはない。かたや自由な個人による経営と労働の統一、かたや政治と労働の統一である。二人ともそれをアソシアシオンと考えている。

目標と過程の相違

しかし、そこに至る過程はまったく違っている。もちろん最終ゴールが同じだからといって、二人は結局同じだということにはならない。なぜなら、過程の相違は、ゴールへの道の相違でもあるからだ。

マルクスの見取り図はこうである。資本主義が高度に発達し、世界市場を切り開き、やがて市場が枯渇し、新製品が現れず、環境破壊が進み、資本主義それ自身を維持することができなくなり、独占資本や独占的国家が、立ち行かなくなる。

それを奪い取ったプロレタリアートや共産党が、資本主義体制から共産主義体制へと進み、やがて権力を独占したプロレタリアートや共産党が自然消滅し、アソシアシオンが形成される——しかし、一度権力をとったプロレタリアートや共産党がその権力をどう解体するかは不明である。そこに至る過程の違いこそ、目標の実現を阻止することになるのである。

プルードンは、まさにマルクスのこの共産党による独占を批判する。と同時に国家そのものの解体を要求する。マルクスも国家の解体と共産党の解体は将来きたるべきものと前提するのだが、ことはそう簡単には進まないとプルードンは考えるのである。

権力の否定と権力への固執

まさにそこには、二人の人間の性格の違いというものが大きく影響している。プルードンはマルクスの思想のもつ権威主義的性格を最初から見抜いていた。徒党を組み、組織をつくり、執行部を掌握し、権力を握るというスタイルは、一八四七年に成立した共産主義者同盟、そして一八六四年にできた第一インターナショナルという実際の組織においても実践されていく。マルクスとエンゲルスはつねに権力のための組織づくりと画策を繰り返す。なるほど実際的な革命を企て、強引に実行するには、そうした組織は不可避なのかもしれない。しかし、そうした組織が、内部に垂直構造や、排他的機関をつくり続ければ、革命後もそれが継続し、永遠に権力の再生産を繰り返し、その権力が崩壊しなくなる可能性がある。そうした場合、生産力の発展が生産関係に照応し、その上もろもろの上部構造を変えるという論理は、自己正当化の論理にしか見えない。強力な中央集権組織は、社会主義が発展するにつれて崩壊するというのはいわば一種の詭弁である。

プルードンがマルクスから嗅ぎ取ったものがそこにある。人間それ自身の権力への意志をこそ、変える必要があるのだ。

権力的なマルクス主義を超えるには

ふりかえって、ロシア革命以後のさまざまなマルクス主義を標榜する組織が、この陥穽に陥った事実は、拭い去りようのない汚点である。だからこそ、同じ問題を考えながら違う道を提出したプルードンをいま再考しなければならない理由が、ここにあるのだ。

現代資本主義が不安である理由は、資本の独占化が多国籍企業とともに進むことで、国家ですら企業の思うとおりに動き、環境破壊、経済の不安定、貧富の格差の増大などの悪弊をもたらし続けているからである。

その権力を収奪しただけでは、独占企業の社長がそのまま革命党の幹部に変わるだけのことである。多国籍企業を変えるには、そこに労働者と住民がいかに経営参加し、公の団体にするかにかかっている。それがアソシアシオンである。

資本の社会化は国有化することではない。それでは国家権力をもつ者の自由になり、国家による私有化が始まる。それを阻止するには、社会が所有を分散化しうる形で資本をもつこと、いやそれ以上に資本の運動を抑制させることである。

そのためにも、マルクスの理論とプルードンの理論を組み合わせ、新しい未来の展望を描いてみる必要があるのだ。

＊

私の本来の研究対象はマルクスである。しかし、マルクスを研究すると、かならずそのライバルとしてプルードンの名が登場する。マルクスは最初はその思想を受け入れ、やがてそれを拒絶し、批判する。批判であろうと、賛同であろうと、マルクスの人生を通じてこれほど批判の対象となった人物はほかにいない。それはエンゲルスにも引き継がれ、やがてはソ連にも引き継がれていく。

学生時代にマルクスの『哲学の貧困』を読んだとき、このプルードンなる人物に興味が湧いてきた。それ以後マルクスを研究しつつ、プルードンとマルクスを比較するという方法で研究を続けてきた。その最初の拙稿は、大学院生時代に書いた「社会主義における貨幣廃棄の諸問題」（『三田学会誌』一九七八年）である。

しかし、プルードン自体を前面に押し出して書いた原稿は、それ以降ほとんどない。最近作品社から『哲学の貧困』の新訳書を出すにあたって、四〇年間溜めてきたものを一気に吐き出してみることにした。

その際、プルードンの側に立って、マルクスの批判を読むとどう見えるかという観点で、見てみることにした。そうすると思わぬことが見えてきた。マルクスの思想の、囚われていた部分である。二人はある意味よく似ている。しかし似ているがゆえに、反発しあう。しかし、マルクスはプルードンの後を追いながら、自分の思想をつくり上げていったともいえる。

だからこそ、プルードン批判は、彼の永遠のテーマでなければならなかった。共産主義社会を構築すれば、プルードンが指摘した批判にかならず答えねばならない。だから、それを批判し続けなければならない。アナキズム、アソシアシオン、自主管理、無党派主義などなど、何をとってもマルクスと敵対する思想をはらむプルードンは、マルクスの最大のライバルともいってよかった。

本書は、二人のライバル関係に焦点を置くことに意味があるのではない。むしろその二人から、現在われわれが学べることがないかということに主題がある。ベルリンの壁崩壊、ソ連崩壊の後に出てきた資本主義の勝利感は、リーマンショックのあと崩壊し、今では広がる格差や環境問題などさまざまな問題が、資本主義的システムに黄信号を灯している。混迷する資本主義こそ、その後の世界がどうなるかという問題を突きつけている。

ポスト資本主義の問題である。ポスト資本主義を考える場合、二人から何か学べないか。私は、とりわけ資本主義以後の問題について、プルードンから学べることが多いのではないかと考えている。

アソシアシオンという概念は、マルクスも賛同した概念だが、アソシアシオンを大きく展開、発展させたのはプルードンのほうである。とりわけ資本主義以後の世界、限られた資源の中、自然と融和しつつ、人間の幸福を追求する社会には、このアソシアシオンという概念が不可欠である。

その理由は、アソシアシオンが、人間が自然の動物としてもつ働きである消費するという行動を、個々人の活動ではなく、人間集団の営みととらえているからだ。ポスト資本主義社会は、一八世紀に始まったエゴイズムの社会から、人間が協働する社会に移行するだろう。そこでは一人ひとりの自由よりも、集団の自由、とりわけ自然の中の共生としての自由が要求されるだろう。

そのときアソシアシオンを考えてみる必要があろう。もちろん、一九世紀の思想家に、格差問題、環境問題、フェミニズム、人種差別問題、移民問題などといった現代的問題を解決してもらうわけにはいかない。当然ながら、われわれ自身で考えねばならない問題である。しかし、プルードンの思想はその一助とはなるので、ふりかえって一つの指針として考えていただければ幸いである。

二〇二〇年一月一日　来るべき未来のために

的場昭弘

注1　バーリン『ハリネズミと狐』河合秀和訳、岩波文庫、一九九七年、七―九ページ。

注2　ルクレティウスは、紀元前一世紀の哲学者。エピクロスの思想を紹介した『事物の本性について』で知られる。

注3　バーリン、前掲書、八―九ページ。

注4　バーリン、前掲書、八六ページ。

的場昭弘 まとば・あきひろ

1952年宮崎市生まれ。哲学者・経済学者。神川大学副学長。著書に、『超訳「資本論」』全三巻（祥伝社新書）、『マルクスに誘われて』『マルクスとともに資本主義の終わりを考える』（亜紀書房）、『最強の思考法「抽象化する力」の講義』（日本実業出版社）、『一週間de資本論』（NHK出版）、『カール・マルクス入門』（作品社）、『「革命」再考』（角川新書）、『ネオ共産主義論』（光文社新書）他、多数。訳書に『新訳　初期マルクス』『新訳　哲学の貧困』（作品社）など。

未来のプルードン
資本主義もマルクス主義も超えて

2020年6月11日　第1版第1刷発行

編　者　**的場昭弘**

発行者　株式会社**亜紀書房**
郵便番号 101-0051
東京都千代田区神田神保町1-32
電話 (03)5280-0261（代表）
振替 00100-9-144037
http://www.akishobo.com

印刷・製本　**株式会社トライ**　http://www.try-sky.com

装　丁　**國枝達也**

ISBN978-4-7505-1644-8